庫

32-306-1

黒　猫
モルグ街の殺人事件

他五篇

ポオ作
中野好夫訳

岩波書店

SELECTED SHORT STORIES

E. A. Poe

目　次

黒猫

いまここに書き留めようと思う、世にも奇怪な、また世にも単純なこの物語を、私は信じてもらえるとは思わないし、またそう願いもしない。そうだ、私の目、私の耳が、まず承認を拒もうというこの事件を、他人に信じてもらおうなどとは、まこと狂気の沙《さ》汰《た》とでもいうべきであろう。しかも私は、狂ってはいないのだ——夢をみているのでないことも確かだ。だが、私は、もう明日は死んでゆく身だ。せめては今日のうちに、この心の重荷をおろしておきたいのだ。さしあたり私の目的は、いわばほんの一連の家庭内瑣末事《さまつじ》を、ただありのまま、簡潔に、そしていっさいなんの注釈を加えることなく、世人の前に提供しておきたいのだ。なるほど、結果においては、これら事件は、私を恐怖のどん底にたたきこみ——苦しめ——そしてついに破滅せしめたのであった。だが、それをいま説明しようとは、思わない。私にとって、それは、ほとんど恐怖以外の何物でもなかったが、——多くの人々にとっては、恐ろしいよりも、むしろ単に荒唐無稽《こうとうむけい》というにすぎないかもしれぬ。そしておそらくそのうちには、私にとってこそ悪夢であったものも、単に一場平凡の事件と笑い去ってしまうような知性も、現れることであろう――私などよりは、もっと冷静で、論理的で、容易に興奮することを知らぬ知性にとっては、いま私が畏怖《いふ》をもって書き記す出来事のごときも、ただ単にその中に、尋常一様、きわめて自然な因果関係の継起が、たどられるにすぎないであろう。

子供の時から、私は、情け深い柔順な性質で、目立っていた。心のやさしさは、よく友達たちから、格好の笑いものにされたくらいであった。ことに動物が好きで、両親はねだられるままに、さまざまな愛玩《あいがん》動物をあてがってくれた。たいてい朝から晩まで、私は、それらの動物を相手に、日を暮らし、実際それらに食物をやったり、愛撫《あいぶ》したりしている時ほど、私にとって幸福な時はなかった。しかもこの性質は、年とともに強くなり、大人になってからも、最も大きな私の楽しみの一つは、それだった。もし一度でも、忠実で、利口な犬をかわいがったことのある人ならば、この種の楽しみが、どんなものか、どんなに深いものか、ほとんど説明の必要はあるまいと思う。人間という存在のさもしい友情や、軽薄紙のような信実に、幾度か苦杯をなめた経験のある人々は、かえってあの純粋無私な動物の自己犠牲愛にこそ、なにか直接心魂に徹するようなものを感じるのである。

若くして、私は妻をもった。しかも幸いなことに、妻もだいたい私と性の合う性質の女だった。私の動物好きを見てとると、直ちにいろいろとかわいい小動物を、手に入れてきた。小鳥、金魚、犬、うさぎ、小猿、それからまた猫も一匹、飼っていた。

そこで最後の猫であるが、これがまた非常に大きな、全身真黒、そして驚くほど怜悧《れいり》な美しい猫であった。本来少なからず迷信家だった妻などは、よくこの猫の知恵を話題にして、古来黒猫はすべて魔女の化身だなどという、俗間の巷説《こうせつ》まで持ち出した。もちろん妻は、なにもこのことを本気に考えていたわけではない――いま私がそれを言ったのも、ただたまたま思い出したからにすぎないのだ。

プルートゥ――それが猫の名前だった――は、私の愛猫でもあり、遊び友達でもあった。食物をやるのは、私の役と決まっており、猫のほうでも、家中私の行くところへは、どこへでもつきまとって来た。街の中まで後を追ってくるのを、私は、やっとのことで追い返すほどであった。

こんなふうで、私たちの友情は、数年間続いたが、その間に(恥ずかしい話だが)私の気質、性格が――あの飲酒という悪魔のために、すっかり堕落してしまったのだ。日一日と、私は不機嫌になり、怒りっぽくなり、他人の気持ちなど、お構いなしというふうになってきた。妻に対しても、平気で乱暴な言葉を使うようになり、ついには進んで、暴力をさえふるうようになった。小動物どもが、たちまちこの性格変化の影響を被ったのはいうまでもない。無視するどころか、虐待さえ加え始めた。ただしかしプルートゥだけには、それでもまだ多少は自制の心が残っていたとでもいうか。虐待というほどのことはしなかった。というのは、他のうさぎや猿や犬などに至っては、よし偶然にもせよ、またなつき寄る心からにもせよ、とにかく私の前へでも現れようものなら、情け容赦なくいじめ抜いていたのだから。だが、私の病気――ああ、酒ほど恐ろしい病気が、またとあろうか――は、いよいよ募り、やがてついには、あのプルートゥ――そのころは、もうようやく老いが来て、したがって、いくらか不機嫌勝ちにはなっていたが、そのプルートゥさえが、しばしば私の癇癪《かんしゃく》の犠牲になるようになった。

ある晩、例により、街の飲屋から、ひどく泥酔して帰ってみると、心なしか、プルートゥに、私の目を避けるような気配が見える。私は、いきなり彼を捉《とら》えたが、その拍子に、暴力を恐れたのだろうか、私の手首に、かすかながら歯形をつけた。たちまち悪魔にも似た憤怒《ふんぬ》が、私を領した。もうなにもかもわからなかった。本来の私の魂は、一瞬にして私の身体から飛び去り、深酒に煽《あお》られ、悪魔をもしのぐような憎悪感が、私の全身をゆさぶった。チョッキのポケットから、ペン・ナイフを取り出すと、猫ののど首をひっつかみ、片方の眼球を、念入りに眼窩《がんか》からえぐりとってしまったのだ。口にするのも恐ろしいあの兇悪《きょうあく》さ、いまそれを筆にすることをさえ、私は恥じ、ふるえ、身内に火《ほ》照《て》りをおぼえる。

翌朝──眠りが前夜の乱酔を吹き払い──ふたたび理性が帰ってくるのとともに、さすがの私も、犯した罪の恐ろしさに、半ば恐怖、半ば悔恨を、感じたものだった。だが、結局はそれも、弱い、曖昧《あいまい》な感情にしかすぎなく、心は依然として元のままだった。私は、ふたたび惑溺《わくでき》の生活に帰り、まもなくこの事件の記憶も、いっさい酒の中に忘れ去られたのだった。

そのうちにも、猫は徐々として回復した。なるほど、えぐられた眼窩こそ見るも恐ろしい形相だったが、もはや傷の痛みは感じないらしかった。いままでと同様、家中を歩き回ることにも変わりなかったが、ただ私が近づきでもしようものなら、当然のこととはいえ、おぞ気をふるって、逃げ走るのだった。私にも、多少はまだ以前の心が残っていて、かつては、あんなにも私になついていたこの動物が、いまではこんなにはっきり私を嫌うのを見て、はじめはさすがに悲しかった。だが、そうした感情は、まもなく激しいいらだちにかわり、ついにはまるで取り返しのつかぬ、私の最後的破滅をでも招くかのように、いわゆる「天邪鬼《あまのじゃく》」の精神が来た。この精神については、哲学もまだなんの説明も与えていない。だが、天邪鬼こそは、人の心の最も原始的衝動の一つ、──いわば人間の性格を左右する不可分、かつ根源的能力、ないしは感情の一つであることは、あたかも私のこの生ける魂の確かさにも等しい事実である。してはならぬという、ただその理由だけで、人はいかにしばしば悪事、愚行を犯していることだろうか。私たちには、みすみす最善の判断に逆らってまで、いわゆる法なるものを破ろうとする、不断の傾向がある。しかもそれは何故だ？ ただそれが法なることを知るゆえにすぎぬのだ。ところで、いまやその天邪鬼の根性が、ついに私の命取りになった。つまり、この罪もない動物を、依然として苦しめつづけたばかりか、ついには死にまで至らしめたものも、元はといえばこの自己嗜虐——いわばわれとわが本性を冒瀆《ぼうとく》し、——ただ悪のために悪を行うという——不可解きわまる魂の渇きにすぎなかったのだ。ある朝、私は全く冷静な気持ちで、この猫の首に輪なわをかけ、木の枝につり下げた、——双の目には涙を流し、心は世にも痛切な悔恨にうずきながら、つり下げたのだった——何故だ、その猫が、私を愛しているのを知っており、なんら虐待する理由などないことを、意識するがゆえにこそ、かえってそうしたのだ、——それが罪も罪——（もし仮にそんなことが可能だとすればだが）私のこの不滅の魂をさえも危うくし、もはや至仁至厳、その神の限りない恩寵《おんちょう》すらも及ばぬ、無間《むげん》地獄の底にまでおとすような、恐るべき罪であることを知るがゆえにこそ、かえってそれを犯してしまったのだ。

残忍無比なこの行為をしてしまった晩、私は「火事だ。」との叫びで夢を破られた。

寝台のカーテンが、火になっていた。家中、火の海だった。妻と召使いと私とは、辛《かろ》うじて火炎の中から逃れ出た。だが、完全なそれは破滅だった。私の全財産は、残らず灰《かい》燼《じん》に帰し、以来私は、すっかり絶望に身をまかせてしまった。

この火事とあの残忍行為、なにも両者の間に因果の糸をたどろうというほど、私ははかでない。だが、私はただ、ある一連の事実を、そのまま述べているにすぎない、——そしてよしかもしれぬ程度の関連にしても、もしあるとすれば、すべてはっきりさせておきたいのだ。火事の翌日、私は焼け跡を訪ねてみた。壁は、ただ一カ所だけを除いて、他はすべて崩れ落ちていた。ところで、その例外場所だが、それは、家のほぼ中央、ちょうど私の寝台の頭部が寄せてあったあたり。さして厚くもない仕切り壁だったが、なんとそこのしっくいだけが、強く火力に耐えたものとみえる、——おそらくつい最近塗りかえたばかりだからだろう、と私は考えた。この壁のあたりには、おびただしい群集が集まり、ことにその幾人かなどは、特にある一点を、しきりに丹念に点検しているようだった。「不思議だ!」、「妙だ!」といったような言葉が、ふと私の好奇心をひいた。近づいてみると、なんと真っ白な壁面に、まるで薄肉彫りでも施したように、巨大な猫の形が現れているではないか。しかも驚くべき正確さをもって浮き出ているのだ。首の周りには、はっきりなわの跡までついている。

はじめてこの幻影——そうとしか、私には思えなかったのだ——を見た時の私の驚き、私の恐怖、それはもう大変なものだった。だが、いろいろ考えてみて、やっと私は落ち着いた。そういえば、私が猫をつるしたのは、家にすぐ続いた庭でだった。火事だという叫びに、庭は、すぐとやじ馬たちでいっぱいになったはず——そして多分彼らの一人が、猫のなわを切り落とし、開いた窓から、私の部屋へ投げこんだものにちがいない。おそらく私の目を覚まさせようとてのことだったのであろうが、たまたま他の壁が、すべて崩れ落ちていたもので、この私の残忍行為の犠牲《いけにえ》は、塗ったばかりのそのしっくいにめりこんでしまったというわけ。そしてしっくいの石灰が、炎と、死骸《しがい》から出るアンモニアとで、はからずもいま見たような猫の像をつくり上げてしまったのだ。

こうして私は、上述した奇怪事に対し、よし良心的にはまだ不満だとしても、とにかく理性の面では苦もなく説明をつけた。が、それにしても、私の心象が受けた深刻な印象には、変わりなかった。何カ月間というもの、私は、この猫の幻像を払いのけることができなかった。そしてその間、私の心には、またしても漠とした、悔恨に似た気持ち(本当はそうでもないくせに)がよみがえってきた。あの猫のいなくなったのを悲しんだばかりか、そのころ行きつけのいかがわしい場所などで、ことさら同じ種類の猫の代わり、しかも毛並みまでどこか似たのをと、しきりに探し求めるようになった。

ある晩、私は半ば酔いしれ、とある醜名高い魔窟《まくつ》で、トグロを巻いていたが、その時、この部屋、それも家具らしいものといっては、ただそれだけとでもいいたい大酒樽《さかだる》の一つの鏡の上に、なにか黒いものが一つ、載っかっているのに、突然気がついた。その酒樽の上なら、さっきから私は、もう何分間も見つめていたはず。それだけに驚いたのは、今の今までそんなものなど全く気づいていなかったことだった。私は近づいて行って、手を触れてみた。黒猫だった——恐ろしく大きな黒猫——プルートゥそっくりの大きさで、しかもただ一点だけを除いては、あらゆる点でそっくりなのだ。つまり、プルートゥには、身体のどこにも、白い毛など一本もなかったが、この猫のほうは、胸のあたりほとんど一面に、輪郭こそはっきりしないが、大きな白毛の斑点《はんてん》をもっている。

手を触れると、猫はたちまち立ち上り、大きくのどを鳴らしながら、私の手に体をこすりつけた。気づいてもらえたのが、よほどうれしいらしいのだ。まさしくこれこそは探し求めていた猫。私は、すぐにも買いとりたいと、主人に申し出た。だが、こんな猫、自分の飼い猫ではない、——全く知らぬ、——見かけたこともない、と主人は言うのだ。

しばらく私は愛撫してやっていたが、やがて、帰ろうとすると、どうやら猫も、一緒に来たいらしいのだ。私はついて来るにまかせた。時々は足まで止めて、身をかがめては軽く撫《な》でてやった。家につくと、直ちに馴《な》れ親しんだばかりか、すぐと妻には、大のお気に入りになってしまった。

ところで、私のほうだが、これはまたまもなく、ひどくこの猫が嫌いになってしまったのだ。予想とはまるで逆だったわけだが、猫が私に対しなつけばなつくほど、――なぜか、それともどうしてか、それは全くわからないのだが――私のほうはむしろいやでたまらなくなる。しかもこの嫌悪感、不快感は、だんだんと烈《はげ》しい憎悪に変わっていった。私は、できるだけ猫を避けるようにした。ある種の羞恥《しゅうち》感と、それにこの前の残忍な所業に関する記憶とが、手荒な行為に出ることだけは控えさせたのだ。事実幾週間かは、打ったり、そのほか虐待するようなことは、一度もなかった。だが、それだけに次第に、――徐々として――もはや見るのもいやというふうになり、いまいましいその姿を見ると、まるでペスト病患者の呼吸をでも避けるように、私は、無言で逃げだすようになった。

おまけに、私の憎悪をさらに募らせたものは、家に連れて帰った翌朝、ふと見ると、あのプルートゥと同様、なんと片目がないのに気づいたことだった。だが、同じこの事情が、妻にあっては、かえって一層のいじらしさを増させるばかりだったらしい。前にも言ったが、かつては私の持ち前であり、世にも素朴、純潔な幸福の源泉だった心の優しさを、妻もまた多分に持っていたのである。

だが、私が嫌えば嫌うほど、猫のほうでは、いよいよ私が好きになるらしい。おそらく読者諸君にわかってもらうのは難しいと思うが、それはうるさい執拗《しつよう》さで、私の動く後々《あとあと》につきまとってくる。座れば、椅子《いす》の下にうずくまるか、さもなくば膝《ひざ》に跳びのって、あの思っても忌まわしい媚態《びたい》の限りをつくしてくるのだ。立ち上がって、歩けば歩くで、両足の間にからまって、危うく私は倒れそうになる。かと思えばまたあの長い、鋭い爪《つめ》を、私の服に引っかけ、ほら、こんなふうに胸許《むなもと》までもよじ上ってくる。そんな時には、実際一撃の下に打ち殺してしまいたくなるのだが、辛うじてそれだけはやめた。一つには前にやった罪の記憶だが、しかしより主たる理由は、——なにを隠そう、とにかく私は、この猫が怖くてたまらなかったのだ。

恐れとはいっても、必ずしもそれは肉体的危害への恐怖ではない——といって、ほかになんと言ったらよいか、それは私にもよくわからない。事実こんなことを告白するのは私も恥ずかしい——そうだ、たとえいま重罪犯として、この独房に呻吟《しんぎん》する私にとってすら、こうした告白は、実に恥ずかしくてならないのだが、——つまり、この猫に対する私の恐怖、戦慄《せんりつ》とは、およそ考えられるかぎりの奇怪な妄想、それによって、いっそう煽られていたのだった。前にも言ったが、この風来猫と、先に私の殺した猫との、ただ一つ目につく相違点といえば、それは例の白毛の斑点だけなのであり、それについては、妻からも一度ならず注意を受けたことがある。読者諸君も覚えていられようが、斑点というのは、かなり大きなものだが、最初は、別にこれといったはっきりした形などしていなかった。ところが、それが徐々として、——いや、ほとんど目にもつかぬほどの変化を見せ、——現に私自身も長い間、理性の上では心の迷いにすぎぬと、極力否定しつづけていたのだが——ついにあるはっきりした輪郭をとるに至ったのだ。口にするさえ恐ろしいほどのそれはある物だった——いまやそのために、私はこの怪物を憎み、恐れ、ああ、できることなら一思いに片づけてしまいたいと考えるようになった。——はっきり言うが、あの恐ろしい——不気味な——おお、あの戦慄と罪——苦痛と死——その恐るべき器械——絞首台の形だったのだ。

いまや私のみじめさは、世の常の人間のみじめさを超えた。たかが畜生一匹——これまでも同類などいくらでも、むしろ侮蔑《ぶべつ》をもって殺してきたはずのこの畜生風情が——いまこの私、かりにも神の像《かたち》に似せて造られた人間である、この私に対し——かくも堪え難い苦悩を与えようとは！　ああ、もはや私の心には、夜も昼も、憩いの恵みなど一切なかった！　昼間は、一刻として私のそばを離れないし、夜は夜で、ほとんど一時間ごとに、言いようのない恐ろしい悪夢にうなされて、目をさます。そして気がついてみると、彼奴《きゃつ》の熱い吐息が、私の顔にかかり——あの恐ろしい体重——そうだ、私には払いのける力もない悪夢の化身が――永劫退《えいごうど》かばこそとばかり、私の心臓にのしかかっているのだ！

こうした苦悩の重圧には、私の心にまだ残っていた善心も、ついに敗れる時が来たのだ。兇悪な思い――世にも暗い、恐ろしい思いだけが、私の心の唯一の友となった。ふだんからの不機嫌はいよいよ募り、やがて一切の事物、一切の人間に対する憎悪へと変わった。一方、いまはただ盲目的にわれを忘れ、幾度となく暴発する狂気じみた発作を前に、愚痴一つこぼさず、ただ黙って堪えていてくれた最大の受難者は、いつものことはいえ、あわれ、私の妻だった。

ある日のこと、彼女はなにか家事用とかで私と一緒に、当時はもう食いつめての住居だった、とある古建物の地下室へと降りて行った。猫もまた私たちの後を追って、急階段を降りて来たが、とたんに私は足をからまれ、危うく転げ落ちるところだった。私はたちまちカッとなった。手斧《ておの》を振り上げると、腹立ちまぎれというか、これまで抑えてくれていた子供じみた恐怖のことなど一瞬に忘れ、猫をめがけて真向に打ち下ろしたのだ。もし望み通りの一撃にさえなっていれば、もちろん猫は即死だったろうはず。ところが、その手をとめたものがいた。妻の手だったのだ。だが、邪魔がはいったとなると、私の憤怒は悪魔そこのけに燃え上がった。妻の手をふりほどくと、なんと妻の脳天深く、一撃を加えたのだ。うめき声一つ立てず、妻はその場で息絶えた。

恐るべきこの殺人が終わると、私は直ちに、しかも用意きわめて周到に、死骸の隠匿にかかった。昼間にせよ、夜にせよ、屋外へなど運び出せば、近所の連中の目にふれるのは目に見えている。いろんな計画が心に浮かんだ。一度は死骸を寸断して、火で焼いてしまおうかとも思った。また一度は、地下室の床下を掘って埋めることも考えた。次にはまた中庭の井戸に投げこむこと——いや、いっそ何気なく普通の商品のように箱詰めにし、そのまま運送屋を呼んで運び出させるか、とにかくいろんな方法を考えた。が、結局最後にふと思いついたのは、上のどれよりもはるかに名案、つまり、中世の僧侶《そうりょ》たちは、よくその犠牲を壁の中に塗りこめたと、物の本に見えるが、それをいまこの地下室でやってみようと決心したのだ。

それには、この地下室、まことにあつらえむきだった。壁はひどくガタガタだし、しかもつい最近しっくいの粗塗りを一面にしたらしく、しかもひどい部屋の湿気のために、まだ乾いていないのだ。おまけにある一カ所は、形だけの煙突だか、暖炉だかが張り出しており、あとでうまく塗り直され、打ち見たところは、壁の他の部分と全く同じようになっていた。ここならば、容易に煉瓦《れんが》を取りのけ、死骸をはめこみ、だれ一人不審など起こさぬよう、元通りに塗りこめることもできるはず。

私の計算、そこまでは誤りなかった。煉瓦はカナテコですぐと外れたし、慎重に死骸を内壁に寄りかからせたうえ、そのままの姿勢で突っかい棒をした。あとは全体を元通りに直す作業、これも苦もなくできた。そしてモルタルと砂と毛髪とを手に入れると、それこそ文字通り細心の注意を払い、元のと少しも変わらぬしっくいを調合したうえ、これで新しい煉瓦壁の表面を丹念に塗りおおせた。さて一切が終わると、これでよしと私は満足した。壁面は煉瓦一つ動かした形跡も見えぬ。床の上のゴミくず類も、これまた丹念に拾い集めた。昂然《こうぜん》と四辺を見回し、私は思った。「さあ、これで少なくとも無駄骨折りではなかったはず。」と。

さて、次はほかならぬこの不幸の原因になった、あの猫の奴《やつ》を探すことだった。こんどこそは殺してやると、かたく決心したからだった。この時もし会っていたら最後、とたんに彼の運命は決まっていたはずなのだが、そこがあの狡智《こうち》にたけた畜生、どうやら先の私の激怒に恐れでもなしたものか、決心を固めている私の前に、てんで姿を見せないのだ。だがまた一方、あの呪《のろ》わしい畜生が姿を見せなかったということ、それがどんなに深い、どんなに幸福な安堵《あんど》感を私の心にもたらしてくれたことか、言葉にも思いにもつくせぬほどだった。とにかくこうしてその晩は、ついに姿を見せなかった。そんなわけで、あの猫が私の家へ来て以来、少なくともこの晩一夜はぐっすりと静かに眠った。

そうだ、心には殺人の重荷を担いながらも、とにかく眠ったのだ！

二日目も三日目もすぎた。だが、地獄の鬼ともいうべき猫は現れない。やっと再び自由な人間に、私はかえった。あの怪物奴《かいぶつめ》も驚いて、永久にこの家から逃げ去ってしまったのだ！　もう二度と、あの顔も見なくてすむ！　私の幸福は最高だ！　あの恐ろしい行為からする罪悪感も、ほとんど私を苦しめなかった。二、三の尋問は受けたが、なんなくそれらも言い開きはできた。家宅捜索まで行われたが、――もとより発見されるものなどなかった。これからの幸福はもう確実と思った。

殺人から四日目だった。実に思いがけなく、警官の一団がやって来て、改めて厳重な家宅捜索をはじめたのだ。だが、隠匿場所の安全については自信があったので、私は一向平気だった。警官たちは、私にも捜索に立ち会えという。隅から隅まで、残る隈《くま》はなかった。三度目だったか、四度目だったか、彼らはついに地下室へと降りて行った。だが、私はビクともしなかった。私の心臓は無心に眠るもののように、静かに脈打っていた。私は地下室の端から端まで歩いてみた。両腕を胸に組み、悠然とあちこち歩き回った。警官もすっかり満足の体で、さていよいよ引き上げようという時だった。私の心の歓喜は、どうにももう抑え切れなくなったのだ。たとえ一言でもよいから、勝利のしるしというか、言ってみたかった。私の無罪に対する彼らの心証をいま一つ念を押して確信づけてやりたかったのだ。

「どうも皆さん、」一行が階段を上りかけた時、とうとう私は言ってしまった。「容疑を晴らしていただいて、ありがとうございます。御健康を祈ります、と同時に、今後はいま少し礼儀なるものを、わきまえていただきたいものですな。それから、話は別ですが、この家——こいつは実によくできた家でしてね。」(なにかこうベラベラしゃべってみたい、ただそれだけが夢中の一心で、実は何を言っているのか、自分でも全くわからなかったのだが)「いや、実にすばらしくよくできた家でしてね。まずこの壁ですが——いや、もうお帰りですか？——いや、この壁の造りというのが実に頑丈でしてね。」と、ここでもう私は、全く狂気に近い強がりだったのだろうが、たまたま手にしていた杖《つえ》で、場所もあろうに、あの妻の死骸の入っている煉瓦壁のあたりを、力をこめてガツンとやったのだ。

ああ、神よ、私をあの大悪魔の牙《きば》からまもりたまえ！　私の杖の音の反響が消えるや否や、これはまた墓の中から声がしたのだ！——最初は子供のすすり泣きのような、とぎれとぎれのこもった声が、みるまに長い、声高い、なんとも異様な、とうてい人の声とは思えぬ悲鳴の連続となり、——咆哮《ほうこう》となり、——ついには、半ば恐怖、半ば勝利、あたかも無間地獄の底から、業苦に苦しむ堕地獄亡者どもの呻吟と、それに狂歓する悪魔どもの凱歌《がいか》とが、一緒になってでもわきあがるかのような、激しい慟哭《どうこく》の叫びになった。

その時の私の気持ち、それはもう言うも愚か。クラクラとなって反対側の壁に倒れかかった。一瞬、警官たちはあまりの驚きと恐れに、階段上に立ちすくんだ。だが、次の瞬間には、数本のたくましい腕が、壁を掘り毀《こぼ》っていた。壁はドカリと崩れ落ちた。そこにはすでに腐爛《ふらん》しきり、血の塊だけがこびりついた死骸が、スックと人々の目の前に立っていたのだ。そしてその頭のてっぺんには、あの巧みに私を誤らせて殺人をさせ、いままた暴露者として、私を絞首人の手に引き渡したあの恐るべき大猫が、真っ赤な口を開け、火のような片目を光らせ、座っていたのだった。私はあの怪物を、墓の中に塗りこめていたのだ。

ウィリアム・ウィルソン

そも良心とは？　わが行手に立ち阻む、恐ろしの影、良心とは？
チェンバレン「ファロニーダ」

かりにしばらくウィリアム・ウィルソンとしておこう。なにもわざわざ僕の本名をあげて、僕の前のこの美しい紙面を汚すことはないからだ。それはすでに、僕等一族にとって、あまりにも侮蔑、――恐怖、――嫌悪の対象となりすぎている。その比類ない汚辱は、風さえ怒って、すでに世界の果て果てまでも、姦《かしま》しく吹き伝えている有様ではないか。おお、追放無慚の堕地獄漢よ、この世界と、そしてその名誉、その栄華《はえ》、その黄金なす希望に対しては、汝はすでに永劫に死んだものなのだ。そして汝の希望と天国との間には、限りない暗澹の密雲が、とこしえに重く暗く垂れこめているのである。

できることならば今日ここでは、僕近年の筆舌を絶した悲惨、許すべからざる罪悪については語りたくない。この時期――この近年は、僕としてはむしろ俄かに背徳の度を加えたのだが、今日はただそのそもそもの動機、それについてだけ語りたいと思うのだ。通常、人はだんだんに堕落するものだという。だが僕においては、実に一瞬にして、あたかも一枚の外套のように、一切の徳性が脱け落ちてしまったのだ。どちらかといえば些々たる邪悪さから、僕はまるで巨人の歩みをもって、一挙エラ・ガバルスを凌ぐ兇悪さに転落したのである。では、どんな動機――どんなたった一つの出来事が、この恐るべき禍いをもたらしたか、しばらく耳を貸してもらいたい。死は迫り、すでに前触れするその影は、僕の心にもようやく一種の静けさを投げかけている。死の蔭の谷を行きつつも、僕はやはり人の心の同情――いや、憐れみとさえ言いたいくらいなのだが――に渇いている。ある意味では僕もまた人力以上の環境の奴隷であったこと、それをできれば信じてもらいたい。僕が語ろうという委細の中に、まこと過誤の砂漠ともいうべき一生であったにせよ、せめてはそこに「宿命」というささやかなオアシスを、僕のために見出してもらいたい、それが僕の願いなのだ。と同時には、よしこれまでも僕のにまさる強い誘惑はあったにせよ、少くとも僕のように、かく試みを受け、――また、たしかにかく堕落したものはなかったことも認めてもらいたい――いや、認めざるをえなかろうと思うのだ。したがってまた何人も僕の如く懊悩したものはない。まことに僕は夢幻の中にでも生きていたのではあるまいか。そして今やこの地上あらゆる幻覚のうちにも、もっとも妖しい幻覚の恐怖と秘密の犠牲《いけにえ》として死の前に立っているのではあるまいか。

僕は、由来その幻想的傾向と、興奮しやすい気質をもってあらわれたある一族の末裔である。わずかに物心ついたその頃から、僕はすでにこの家系的特徴を十分に享けついだ顕著な証拠を示していた。成長するにしたがって、それはますますひどくなり、いろいろの理由で、単に友人たちに重大な心配をかけたばかりでなく、まず僕自身、事毎に非常な損害を招く基になった。我儘になり、とりとめもない気紛れの虜になって、ほとんど手もつかない激情の犠牲になった。気が弱くしかも僕と同じ病弱に悩み抜いていた両親には、もとより僕の特異性であるこれらの悪癖をとめる力などさらになかった。時々無力な、しかも方向を誤った匡正の努力など試みたことはあるが結果は完全に両親の失敗、僕の勝利に終るだけだった。それからというものは、僕の一言は家にあっては法であり、なべて世の幼児では、ほとんどまだ手引紐さえとれない齢頃から、僕はもう全くの自分天下、ただ名義こそなけれ、実質は完全に自己の行動の主人であった。

もっとも早い僕の学校生活の記憶は、さるイギリスの霧深い村、大きな、不恰好なエリザベス朝風の建物につながっている。数知れぬ巨大な、節くれ立った老樹があり、建物という建物はこれはまたおそろしく古かった。古色蒼然たる旧い町、まことに心静もる、夢のような町であった。今でも僕の心は、あの影深い並木路のヒヤリとする冷たさを感じ、あの無数の叢林の芳香を吸い、教会の鐘の深い、空虚《うつろ》めく余韻に、言い知れぬ喜びを今さらのようにおぼえて胸ときめかせるのである。それはきまって一時間毎に、物憂い、暗い低音が、あの組子風ゴチック尖塔の包まれて眠っている仄暗い大気の静寂を破って突如として鳴り渡るのであった。

あの学校関係を、かぎりないささやかな思い出までたどりつづけることは、今の僕にとっては経験しうる限りのもっとも大きな喜びを与えてくれるのだ。深い不幸、――それも、ああ、あまりにも現実の不幸に打ちひしがれている今の僕が、一筆二筆こうしたとりとめもない記述の心弱さの中に、せめてわずかに心慰むもの――よしいかにはかない束の間のものであるにせよ――を見出そうという気持はおそらく人も許してくれるだろう。それにこれらの追憶は、事実それだけでは全く下らない、むしろ愚かしいものでさえあるかもしれないが、他方また後年あれほどまでに僕を支配しつくしたあの運命の、いわば最初の漠然たる警告に気がついた、その時期、その場所というようなものと結び合せて考えると、僕の心にはなにか偶然的な大きな意味を帯びてくるのである。では、追憶をつづけよう。

上にも言ったように、建物は古く、形も不整であった。構内は広々としていたが、周囲はずっと高い頑丈な煉瓦塀が建てめぐらされ、その上は漆喰地にガラスの破片がいっぱいに植えられていた。まるで牢獄のようなこの胸壁が、僕等の世界の限界で、その向うは僕等、ただ一週に三度見ることを許されるだけだった——即ち、一度は毎土曜日の午後、二人の助教に導かれて、近所の野原にほんの短い集団散歩を許されるのが一つ、もう一度は日曜日に二度、村にただ一つの教会へ、朝晩の礼拝に、これも同様きちんと行列をつくって行く時だった。教会の牧師というのは、われわれの学校の校長なのだった。緩い荘重な足取りで、彼が説教壇を上ってゆく時、僕ははるか遠い二階席の座席から、いつもいかに深い驚きと困惑とをもって眺めていたことだろう。いかにも真面目くさった温顔、つややかな、いかにも聖職者らしく裾を翻した長衣、丹念に粉を振った、厳めしい、大きな仮髪《かずら》——ああ、はたしてこの男が、つい先刻まであの渋面をつくり、嗅煙草に汚れた洋服を着、木篦《きべら》を手にして峻厳きわまる校則を励行していたあの男なのだろうか。これこそは大きな謎、ついに解決を許さない、奇怪千万な謎だった。

重苦しい塀の一隅には、さらに輪をかけた重苦しい門が一つ、その暗鬱な眉をしかめていた。門、鈬《かんぬき》、ことごとく鉄づくりの上に、あまつさえ上辺には牙々《がが》たる鉄の忍び返しがうたれている。それは一目にして言い難い畏怖を誘うものであった。門は、前に言った三度の定った出入りのほか、決して開くことはなかったが、開く時には、その巨大な蝶番《ちょうつがい》のきしるごとに、僕等は無量の神秘——厳粛な関心というか、さらにもって厳粛な沈思というか、その無限の意味を発見するのであった。

広い構内がまた、ところどころに数多くの広い、引っこんだ空地があって、きわめて不整形だった。これら空地のうち、最も大きい三、四のものが運動場になっていた。土地は平坦で、一面細かい砂利石で蔽われている。今でも憶えているが、その中には樹木もなければ、ベンチもない。類したものもないのである。もちろんそれらは校舎の背後にあったので、正面には小さな花壇があり、ニワトコやその他の灌木が植わっている。だが、われわれがこの聖地を通り抜けるのは、きわめて特別な場合——たとえばはじめて入学する時、卒業して出てゆく時、でなければおそらくクリスマスや夏休みに、親か親類の者かが訪ねて来て、いそいそと家路につく、そんな時くらいのものだった。

だが、それにしてもあの校舎だ！——なんと古い、異様な建物だったことか！——それでいてこの僕には、まことになんと妖しい魅惑の宮殿であったことだろう！　文字通りその紆余曲折したその構造——内部の区画の不可解さ、それらは全く僕等の端倪を許さないものだった。たとえば任意のある瞬間に、人は自分がこの二階建校舎の、はたして一階にいるか二階にいるか、はっきり自信をもっていうことは困難であった。部屋から部屋への往来には、登りか、降りか、必ずきまって三段か四段の階段がある。それにまた傍へ逸れる通路というのが無数にあり、——全くなにがなんだかわからない、

——そのままいつのまにか元の場所へ帰っているというようなことさえありうるのだ。そんなわけで結局建物全体に対する僕等の正確な観念は、あたかもあの無限というものに関して思索する時の観念と、あまり変らなかった。ここに五カ年在学の間にも、ついに僕は、僕自身それからまた二十名足らずの級友たちがそれぞれ小さな寝室を与えられている、それらがはたして構内のどんな遠いはしっこになるものか、ついに正確にたしかめることはできなかった。

教室は、建物中で一番大きな——いや、僕はむしろ世界中でと言いたい——室であった。おそろしく長く、狭く、陰気なほど天井が低く、窓は尖ったあのゴチック風、天井は樫の板だった。一番奥の、なにか薄気味悪い一隅に、特に八、九フィート平方に四角に区切った一画があり、これこそは「仕事時間中」わが校長ブランズビー師にとっての聖地であったのだ。重い大きな扉のついた堅固な構造であったが、僕等としては、もし「主《ドミネ》」の留守中にでも、この扉を開けようなら、むしろ喜んで「永劫の業苦」に死ぬことを願ったろうほどの大事であった。別の一隅には、ほかにまず二つ、同様の仕切りがあった。これがまた、畏敬されることではもとよりはるかに及ばなかったが、依然として非常な恐怖の対象であったことには変りない。一つは「古典課」教師の教壇であり、今一つは「英語兼数学」教師のそれであった。部屋の中は、これはまた無数のベンチ、机類が、はてしない乱雑さでまことに蜘蛛手十文字に散らかっている。しかもそれらがみな古風で、真黒で、おそろしく古ぼけているばかりでない。机の上はそれこそ手垢だらけの書物が雑然と積み上げられているし、名前の頭文字や、名前全体や、さては奇怪な絵模様などにいたるまで、次から次へと刻みつけられたナイフの痕に、かつてはそれでも多少は俤《おもかげ》を残していたかもしれない原板面も、今では全く跡形もとどめないまでになっているのだった。また別の端には水を張った巨きな水桶があり、反対の端にはこれもまた途方もない巨大な柱時計が立っていた。

この古色ゆかしい学校の物々しい塀に囲まれて、僕は十から十五までの歳月を、倦怠も知らず嫌悪もなしに過した。いまだ豊かな少年の頭脳は、その興味や慰楽をみたすのに、決して外の世界に起る事件を必要とはしない。うちみたところただ陰鬱単調な学校生活も、僕にとっては、後年やや長じてあの享楽からえた興奮や、さらに全く成人してからはあの罪悪からえたそれよりも、はるかに強烈な刺激に溢れたものだった。だがそれにもかかわらず僕の少年時代の心の成長は、このころすでに幾多異常なもの――いや、甚だしく常軌を逸したものさえ示していた。通常の人間にあっては、きわめて早い幼児期の出来事は、大人になるともはやこれといった印象をとどめるものでない。一切がいわば灰色の影、――ただ弱々しい、とりとめもない記憶にとどまり、――ただかすかな快感と万華鏡にも似た苦痛との模糊たる再現にすぎないのが常である。だが、僕にとってはそうでない。それは幼年時代にあってすでに、大人のような強烈さをもって感じとったものに相違ない。今にもまるで、あのカルタゴ遺品のメダルの打出模様にも劣らない、鮮明、明確な、そして決して磨滅しない線条をもって記憶の上に刻まれているのである。

そのくせ事実——いわゆる世間的意味での事実からいえば——特にこれという出来事のいかに乏しかったことか！　朝、目をさまして、夜、寝に就く、暗記と復誦、定期的半休と散歩、時々運動場での喧嘩、遊戯、悪企《わるだく》み——たったこれらのことが、今はもう全く失われてしまった心の魔術一つで、尽きない感動、測り知れぬ豊かな事件、そしてそれこそ無限に多彩な感情と、世にも激しい、心の底をゆさぶる興奮とを味わわせてくれたのだ。

「おお、楽しかりし蒙昧の日よ！」

事実、ひどく情熱的で、しかも尊大人に譲らない僕の性質は、まもなく僕を級友中にあっても一種変りものという定評を生み、徐々とではあるが、いつとはなしに、僕前後の年輩の少年間に隠然として勢力を揮うようになった——ところが、それにただ一人例外があった。それは僕とはなんの縁辺《ゆかり》でもないのだが、名も姓も僕と同じである一人の生徒だった。——もっともそれだけならば、別に異とするに足りないかもしれぬ。というのはたしかに名門の出でこそはあったが、僕の名はきわめてありふれた名の一つで、いわば時効的権利によって、何時とはしらぬ昔から、むしろ一般民衆のものになっていたらしい。だからこそこの告白でも、僕は自分の名をウィリアム・ウィルソン——言いかえれば仮名とはいい条、その点では本名とあまり変らない名前にしているのだ。ところが学校通語でいわゆる「僕等の組」というその仲間の中で、実にこの同姓同名の少年だけが、学業においても、校庭の運動競技、喧嘩についても、敢えて僕に対抗し、口にこそ出さね、僕の主張を否定してみたり、僕の意志に服することを拒むのだ、——いや、それどころではない、なんであろうと、僕の専断の命令といえば忽ち干渉してくるのだった。世にもし至高絶対の専制というものがあるとすれば、それはまさしくより心の弱い仲間に対して揮う少年暴君の専制というものだろう。

ウィルソンの反抗は、僕にとってひどく困惑の種になった。人前でこそ彼とその思い上りに対し、常に傍若無人に振舞いつづけていたものの、内心では明らかに彼を怖れていた。いかにも楽々と僕に拮抗してくるその能力——事実僕はただ負けないだけで始終もう大童《おおわらわ》なのだ——これこそは明瞭に彼が僕を凌いでいる証拠ではないか、とそう思うと、なおさら困惑の種だった。ところがこの彼の優越――いや、僕との拮抗さえもが、それに気がついているのは、ただ一人僕だけらしい。級友たちは、なにか不思議な盲点とでもいうものか、それらしい気配さえ見せないのである。そういえば事実、彼の競争も、抵抗も、ことにはあの僕の意志に対する生意気きわまる執拗な干渉も、ただわれわれ二人の間のことだけで、それ以上露骨なものでは決してなかった。つまりいつも僕を駆って人に越えさせるような野心も、情熱も、ともに彼にはないらしかった。彼の対抗意識というのは、ただ一にこの僕を挫き、驚かせ、苦しめようという、まことに気紛れな気持から出ているらしかった。そのくせ時には彼の不法や侮辱や反抗の中に、これはまたなんとも場違いな、そしてまたたしかに糞面白くもないある種の愛情に満ちた態度が混っているのに気がついて、驚きとも屈辱とも不快ともつかない感情に襲われるのであった。結局僕としては、彼のこの奇妙な態度は、卑劣にも僕に対して上手から保護者顔をしようという、極度の虚栄心から出るものとしか思えなかった。

上級生の間では、いつのまにか二人が兄弟だという取沙汰が流布していたが、おそらくそれは二人の名前が一つなことと、たまたま同じ日に入学したという偶然に併せて、ウィルソンの今のこの特徴が理由だったのだろう。彼等は普通下級生のことなどやかましく詮索するものでない。前にもたしか言ったはずだが、ウィルソンはどんな遠縁関係を数えても、僕の一家との関係は全くなかった。だが、かりにもし二人が兄弟であったとしたならば、これはきっと双生児であったに相違ない。というのはブランズビー塾を去ってからのことだったが、僕はある偶然から彼が一八一三年一月十九日の生れであることを知った。——そしてこれはやや驚くべき暗合である。なんとなればその日こそはまたまさしく僕の誕生日だからである。

奇異に思えるかもしれぬが、僕はウィルソンの競争と、その堪え難い反抗心とにそれこそ日夜悩まされながら、しかも彼を憎み切ることはできなかった。事実ほとんど毎日二人は口論した。しかも人前では立派に僕に勝ちをゆずりながら、そのくせどうするものか不思議にも、真実勝ったのはこちらだぞ、と思わせるように仕向けるのが彼だった。だが、とにかく僕の自負心と、彼のこれは真実重みとが、どうやらいつも二人の間をいわゆる「口をきき合う仲」程度には保っていた。それでいて考えてみると、二人の気質にはずいぶんとよく性の合う点もあるのであり、そのためか僕としては、もし二人の立場さえ変っていたならば、おそらくは十分友情にまで成熟しえたものだろうのにという気持も時にするのだった。事実、彼に対する僕の真実の感情を言えということになれば、限定することはおろか、一応の説明すらも困難であろう。まことに雑種異質の混淆であった。焦立たしい敵意、そのくせ憎悪とはなりきれないのも一つ、幾分の敬意、さらにそれ以上の尊敬、多大の畏怖、さては無限の不安な好奇心などがそれだった。モラリスト諸君に対しては、今さら付け加えるまでもなかろうが、結局ウィルソンと僕とは切っても切れぬ仲だったのである。

僕たち二人の間に存したこの変態的な関係が疑いもなく原因だったが、そのために彼に対する僕の攻撃(むろんそれは度々だった、公然とも、また隠微のうちにも)は真剣な、断乎たる敵意の形をとるよりも、すべて揶揄とか悪戯という形(ほんの冗談のような顔をしながら、苦痛を与えることができるからだ)をとるようになった。だが、この種の僕の骨折りは、たとえ計画だけはいかに皮肉に工夫されている時でさえ、決していつもいつも成功とはいかなかった。というのはわがウィルソンの性格には、自分から仕掛ける冗談の皮肉さは興がる気持をもちながら、己れは断じてアキレスの踵《かかと》をもたず、決して他人から笑われることを許さないという、あのごく物静かな、巧まない端厳さが多分にあった。もっともただ一つ弱点はあった。だがそれは多分彼の先天的疾病からきた肉体的特異に基づくもので、従ってもし相手がこの僕のように、百計尽きた揚句でなかったならば、おそらくは見遁したものであったろう。——つまり彼はなにか咽喉部器官に欠陥があり、そのためにどんなことがあってもきわめて低い耳語以上には声を張ることができなかったのだ。さてこそこの弱点を、一向大したことでもないのに、忽ち僕は最大限に利用したのだった。

同じ手でくるウィルソンの復讐は一つや二つではなかったが、ことに堪らなく僕を悩ました悪戯が一つある。彼がいかに聡明であるとはいえ、どうしてそんなくだらないことが僕にとっての苦の種だと、最初気がついたか、これは僕にもどうしてもわからないことだった。だが、一度気がつくや否や、彼はほとんどたえずこのいやがらせを仕掛けてきた。というのは僕は僕の平凡な姓と、賤しいとはいわないまでも、きわめてありふれた名前とを常にひどく嫌っていた。いわば耳への毒だった。だから僕の着いた同じ日に、今一人ウィリアム・ウィルソンなるものがまた入学したと知った時は僕は全く同名故に彼に怒りを感じたのだった。見も知らぬ他人がそれをもっている。従って事毎に二度ずつは繰返されることだろうし、第一本人がたえず一緒にいるのだから、学校の毎日の課業でも、一にこの不愉快な暗合のおかげで、これはもう否応なしに彼と僕との混同が起ることは必至である。そう思うと余計にこの名前がいやになった。

このようにして生れた苦痛感は、その後精神的にも肉体的にも、事毎に彼との酷似を示されるに及んで一層甚だしくなってきた。当時はまだ二人が同年であるという驚くべき事実は知らなかった。だが、二人が全く同じ身長で、だいたい身体つきの外形から、顔の輪郭にいたるまで、異様なまでに似ているという事実は僕も気づいていた。その上ようやく上級生間に流布していた、二人が親類云々という噂も苦痛の種だった。要するに、なにが僕を不安にしたといって、およそ僕たち二人の間の類似、精神的にも、肉体的にも、境遇的にも類似のことが、たとえ言外にせよ触れられた時ほど、心から僕を不安にしたものはなかった(むろんそのような不安は、僕は小心翼々としてひた匿しに匿してはいたものの)。しかもそれでいて(あの親類同士ということと、もちろんウィルソン自身とは別だが、そのほかには)この類似が級友間の直接話題に上ったこともなければ、いや、気づいていたとさえ信じられないのだ。ただウィルソン自身だけは、あらゆる観点から、そしてまた僕に劣らず熱心にじっと注目していたことは明らかだ。だがそれにしてもこのことに、あの効果の大きい人苛めの種を見つけようとは、前にも述べたように、これはなんとしても彼の並々ならぬ聡明さでなければならぬ。

この僕を似たが上にも透き写す、その手掛りといえば、むろん言葉と動作とであった。しかもそれを彼は最も鮮やかにやってのけたのだ。服装を真似ることはなんでもない。歩きつきや、いったいの様子、これも難なく真似てのけた。先天的欠陥にもかかわらず、僕の声まで見落されはしなかった。もちろん僕の大声は出せるよしもなかったが、その声調はそっくりだ。奇妙な彼の耳語調が、いわば僕の声の反響そのものになってしまったのだ。

この絶妙な人真似がいかに僕を悩ませたか(単に一片の戯画だとはとうてい言えないのだ)、それはもう言うのはよそう。ただ気休めといえば一つあった、――というのはこの人真似に気づいているのは、どうやら僕一人らしい。だから我慢といえば、ただウィルソン当人の心得た、奇妙に皮肉なあの笑顔、それさえ我慢すればよかった。予定の効果を僕の胸に与えると、もうそれで満足して、あとはひそかに己れの与えた苦痛に会心の笑みを洩らしているだけらしいので、少くとも彼の機智の成功から、得ようとさえ思えばいくらでも得られたはずの他人の賞讃などは、妙にはじめから眼中になかった。生徒たちが、一向彼の魂胆に気がつかず、従ってその成功を認めることも、嘲笑に一枚加わることもしなかったのは、長い間僕にとって謎だった。あまり人目につかなかったのは、おそらく彼の模写が徐々として完成されていったからだろう。いや、もっと本当は、おそらく真似手の堂に入った巧みさが、かえって僕の安全さを保証したのかもしれない。即ち、表面の字義(たとえば一枚の絵にしても、馬鹿の見るのはこれだけだ)などを軽蔑する彼はいわば直ちに原図の全精神を把え来《きた》って、ただ一人見よ、ひとり苦しめとばかりに僕にさしつけたのであろうか。

僕に対してとる彼の堪らない保護者顔、そしてまた僕の意志に対する再々の余計な干渉、それについてはすでに一度ならず言った。ところがこの干渉は屢々《しばしば》実に無礼な忠告の形――それも公然とならまだよいが、それとないあてつけの形をとるのである。それには最初から嫌悪を感じていたが、年とともにそれはいよいよ強くなった。だが、それもすでに遠い昔になった今日からいえば、彼のためにこの一事だけは認めてやらなければならない、即ち彼の度々の忠言は、いまいかに思い出してみても、一度として若気、未熟につきものというあの過ちや愚かさに陥《お》ちていたことがない。一般才能や世俗智のことは知らないが、少くとも道義感だけは、この僕よりもはるかに鋭かった。そしてもし当時、あんなにも憎み抜き、あんなにも侮蔑し切ったあの意味深い耳語の忠告を、あんなにまで毛嫌いしなかったならば、今の僕は今少し善良な、従って幸福な人間でいられたろうに、ということである。

だがそれは後の祭り、彼の指図がましさに僕はとうとう業を煮やし、少くとも僕にとっては肚に据えかねるその傲慢さを、日に日にいよいよ公然と憎むようになった。前にも言ったように、級友関係になったはじめ頃の彼に対する感情は、むしろ一つ違えば簡単に友情にまで発達しそうなものだった。だが、それが学校生活の終り頃には、日常彼の出過ぎの方は明らかに幾分減ったにもかかわらず、僕の感情はほとんど逆比例に、いよいよ積極的な憎悪へと変ってゆくのだった。多分ある時彼もそれに気づいたのだろう、それからというものは、僕を避け、いや、少くとも避けるかのように見えて来た。

もし記憶に誤りさえなければ、ちょうどその頃だった。二人で烈しい口論をした時に、彼としてはいつになく気を許したものか、彼にはむしろ珍しい露骨さで応酬して来た。その時だった、僕は彼の語調、態度、そして全体の様子の中に、ふとある一事に気がついて、いや、少くともそんな気がして、最初は驚きもしたが、やがて非常に強い興味を覚えたのだった。というのは、はからずも僕は僕自身の幼年時代、それももう薄れかかった暗い夢――事実まだ記憶そのものが生れていなかった頃の、まことにとりとめもない、雑然とした記憶だが、――それがふと思い出されたのである。重苦しく僕の頭を圧した感情、なんと言い現わしたらいいだろうか。今目の前に立っているこの男を、僕はいつかずっと大昔――むしろ無限の過去といった方がよいかもしれないが、そのある時期に――たしかに見知っていたという気持、それを僕はどうしても払いのけることができなかったと、そんな風にでも言うよりほかはないだろう。むろん錯覚はすぐまた消えた。僕がそれを言ったのは、ただこの奇妙な同姓者と僕がこの学校で言葉を交した最後の日を、はっきりさせておきたいからにすぎぬ。

無数の部屋に分れているこの大きな、古い建物には、互いに往来のできる大きな部屋がいくつか並んでいて、生徒たちはたいていここで寝た。だが(なにしろひどく不細工にできた家のことだから仕方がない)いわば建物の裁屑《さいせつ》ともいうべき、小さな隅や凹所がいくらでもあった。ほんの戸棚程度の大きさで、とても一個所一人以上は入れなかったが、それでもブランズビー博士の経済的手腕は、これらを巧みに寝室に利用しているのだった。そしてこの小室の一つに、わがウィルソンはいたのである。

ある晩、私にとっては五年生の終り頃、そして前述した口論のすぐ後だったが、僕は一同の寝静まるのを待って、むっくり起き上ると、ランプを手に、ガランとした狭い廊下を次々に、僕の寝室から彼のそれへと忍び足に急いだのだった。実は今まで全くきまって失敗していたある意地の悪い悪戯を、長い間またしてもたくらんでいたのである。今やその計画を実行し、僕の抱いている敵意を、それこそいやというほど思い知らせてやろうと思ったのだ。彼の部屋へ着くと、ランプには蔽いを被せて外に置き、音もなく忍びこんだ。一足踏みこんで、静かな寝息をうかがった。寝入っているのをたしかめると、もう一度取って返し、ランプを取ってあらためて寝台に近づいた。深いカーテンが廻らされている。計画に従って、ソッと音もなくそれを開けると、明るい光がはっきり寝姿の上に落ちる、そして同時に僕の眼はハッと彼の寝顔に落ちた。じっと見た――と忽ち痺れるような、氷のような感情が僕の全身を浸した。胸は喘ぎ、膝はふるえ、なにか漠然とした、それでいて堪らない恐怖が勃然として全心を領した。喘ぐように呼吸しながら、ランプを一層寝顔に近づけた。これが――果してウィリアム・ウィルソンの顔なのか？　たしかにそうだった。だが、それにもかかわらず僕にはそれがなにか他人の顔であるかのような気がして、まるで瘧《おこり》の発作のようにわなないた。この顔の、なにがこんなに僕を顚倒させるのだ？　じっと凝視《みつ》めた。——頭の中は支離滅裂の思いに麻のように乱れた。あの生き生きと眼覚めている時の彼は——こんな顔ではなかった——断じてこんな顔ではなかった。名前も同じ！　容貌、体つきも同じ！　学校へ入った日まで同じなのだ！　まだある、僕の歩きつき、声、習癖、身振りにいたるまで写すあの執拗、無意味な人真似！　だがそれにしても今眼の前に見るこの顔が、いかに長い習慣とはいえ、ただ単に皮肉な人真似だけの結果であるとは、果してそのようなことがありうるのだろうか。背筋になにか悪感に似たものを感じながら、僕は慄然として、ランプを消し静かに部屋を滑り出ると、そのままあの古い学園の建物を脱け出したきり、ついに二度と再び帰らなかった。

数カ月間は家でただブラブラしていたが、やがてまたイートンの学生になった。このしばらくの間に、もうブランズビー塾での出来事の記憶も薄らぎ、いや、薄らぐとまではなくても少くともその記憶に対する感情は著しく変っていた。あの異常な経験ももうその現実、——悲劇は過ぎ去った。今では眼の迷いではなかったかというような一応疑いを挟んでみるほどの余裕もでき、たまには思い出すにしても、それはむしろ人間の軽信さに驚いてみたり、また僕の家系の遺伝ともいうべき想像力の激しさに一人苦笑するだけだった。しかもこの種の懐疑は僕のイートン生活の性質からしても薄らぐどころではなかった。まもなく向不見《むこうみず》に堕ちこんでいった僕の無分別な愚行の渦巻は、過去の歳月などは忽ちその泡沫だけを残して洗い去り、重い真面目な印象はことごとく呑みこんで、記憶に残る過去とては、ただほんの取るにも足りぬ浮滓にしかすぎなかった。

もっとも僕は、ここでの浅ましい放蕩――それは学校の監視を逃れうるかぎり、あらゆる学則を無視したものであったが――それを今ここで一々語ろうとは思わない。穫るところとては何一つなく、ただたわけ過した三年間は、一方には抜き難い固執の悪習をつくるとともに、僕の背丈はこれまた多少異常なまでに伸び長けた。その頃だった、一週間ばかりも現《うつつ》を抜かした流連の揚句、僕は中でも選り抜きの悪友どもを数人、ひそかに僕の部屋に招いて、秘密の宴を張ったのであった。いずれは御丁寧にも夜の明けるまで飲み明そうという魂胆だから、集まったのがもう深夜だった。酒は湯水のように流れ、それにほかにももっと危険な誘惑の数々も揃っていた。そんなわけで東の空にはすでに灰色の朝がほのかに白みかけているにもかかわらず、われわれの狂宴はむしろその時がまさに酣《たけなわ》という有様だった。カードと酒に酔い痴れて、ちょうど僕がことさらにひどい瀆神の言葉を吐きながら祝盃をもとめた時だった。ふと僕は部屋の扉を、手開きだが、激しく押し開く音と、なにか外から小使のひどくせきこんだ声とを聞いた。誰か急用で至急僕に会いたいという男が、玄関に来て待っているというのである。すっかり酔いの出ていた僕は、思いがけないこの闖入者を、驚くよりも喜んだ。すぐその足でよろめき出ると、五、六歩ですぐ玄関になる。天井の低い、小さなこの部屋はランプとてはなく、したがってこの時刻では光といえば、ただ一つ半円形の窓を通して入ってくる極度に弱々しい朝の光のほかはない。玄関閾《しきい》に足をかけた時だった、僕はちょうど僕と同じくらいの背丈、そしてこれもちょうどその朝僕が着ていたのと同じ、当時流行型の白カシミアのモーニングを着た青年の姿に気がついた。それだけは微かな光ででもどうやらわかったのだが、むろん顔はとてもわからない。だが僕が出てゆくと、青年はつかつかと大股に近づいて来た。そしてまるで待ち兼ねたでもあるようにいきなり僕の腕をつかむと、耳もとに「おい、ウィリアム・ウィルソン!」と囁いたのだ。

一瞬にして酔いはさめてしまった。

見知らぬこの青年の態度、まるで光をへだてるように僕の眼の前に突き出された指の顫《ふる》え、それだけでもなにか心からの驚愕を与えるものがあったが、しかしかくも激しく僕を動かしたのはそれではなかった。異様に低い、まるで叱責でもするような言葉の中に含まれていたあの厳粛な戒告の語調、ことにも言葉こそひどく短いが、あの聞き馴れた、しかも耳語するような声の性質、音色、調子、それが一時にあの過去の日の記憶を蘇らせ、まるで電撃のように僕の心を打ちのめしたのである。そしてようやく我に返った時には、彼の姿はもうなかった。

むろんこのことは、錯乱した僕の頭に鮮烈な影響を与えはしたが、しかし鮮烈だっただけに、消えるのも早かった。なるほど二、三週間こそは頻りに詮索に没頭したり、病的な妄想に耽ったりしていた。あの意地悪く僕を邪魔しつづけ、それとなく警告をつきつけて僕を悩ます奇怪なこの人物、それが誰であるかを僕は自分の心に決して佯《いつわ》ろうとはしなかった。だが、それにしてもこのウィルソンとは何者であるか、――どこから来るのか、――そして一体なんの目的があるのだ、――ということになると、ただ彼もまたなにか突然の家庭の事情で、僕が脱走した同じ日の午後、やはりブランズビー塾を退学したことがわかった以外、なに一つとして満足な答はえられなかった。だが、それもまもなく僕は考えることをやめて、頭はただもうやがてくるオクスフォード行きのいろいろな計画で一杯であった。オクスフォードへはまもなく行った。しかも全く無考えな両親の虚栄心は、今では習い性となっている放埒にそれこそ心ゆくままに惑溺でき――さらにイギリスでも最も富裕な貴族の子弟たちとさえ、十分浪費を競いうるほどの旅費と学資とを僕に与えたのだった。

こうしたまるで悪徳への拍車が与えられた以上は、僕の生得的性向は忽ち二倍の激しさで爆発した。見えも振りも忘れた酒池肉林への耽溺に、ほとんど普通人間としての節度さえ蹂《ふ》み躙《にじ》ってしまった。今さらそうした放埒の顚末を細々と語るのは無駄であろうから、ただその頃の僕の乱行は、他のいかなる濫費家をも顔負けさせるほどだった、そしてこの僕がはじめてしだした新奇な放埒だけでも数知れず、おかげで当時ヨーロッパでも最も放恣なこの大学に通常行われていた諸悪徳の長々しい目録に、さらに短くない付録増補を加えたものだったとだけ言っておけば十分であろう。

だが、それにしても僕はついにここで紳士たるの体面をすら完全に失墜しつくし、果てはあの職業的賭博者の唾棄すべきイカサマをまで習いおぼえてすっかり腕をあげ、学友たちの中から薄ノロどもを鴨にして、そうでなくとも莫大な収入をさらに一層太らせるいわば常習手段にしていたということまでは、ちょっと信じてもらえないだろう。だが、事実はまさにその通りなので、しかも一切男としての、また人間としての感情に対して深く恥ずべきこの悪行の法外さが、実は却ってそれが天下御免で公行されたという、よし唯一ではないにしても、たしかに最も主な理由であったのだ。事実あの放蕩無頼救い難い僕の仲間たちといえども、この派手好きで、開け放しで、しかも物惜しみ知らぬ僕ウィリアム・ウィルソン——いわばオクスフォード切っての気前よしともいうべき好漢ウィルソンに――かりにもそのような破廉恥所行があろうとは、よし明々白々たる眼の前の証拠は疑っても、まさかに考えることはできなかったであろう。だからこそこの追従者どもは、僕の愚行をもただ血気に逸《はや》る若気の過ちといい――数々の過誤はただ人並外れた気紛れのせい――そしてこの世にも忌わしい悪徳をすら、ただ単に向不見な放蕩三昧のせいにしてくれたのである。

こんな風にして僕はうまうまと二年間ばかり過していたが、ちょうどその時グレンディニングと名乗る若い成金貴族が大学へ入学してきた。噂によると、まるでアッティクス・ヘロデースにも劣らない金持で、――それもきわめて無造作に転げこんだものであるという。まもなく僕は、彼が低能に近い男であることを知るとともに、むろん僕のイカサマのそれこそ絶好の鴨にした。度々カルタに引張りこんでは、そこは賭博者の常習で、一層深みに引きずりこむためには、一応かなりの儲けは勝たせてやるのである。だがついに機が熟したと見てとると、僕は(いよいよ今日こそはギリギリ決着の最後の日と臍《ほぞ》を固め)二人の共通の親友で、プレストン君と呼ぶ自費学生の部屋で彼と会った。もっともプレストン君のために一言弁じておくが、むろん彼は僕の計画など露ほども知らないのである。しかもなおもう一つ世間体をごまかすためには、ほかにことさら八、九人の仲間共を呼び集め、特にカルタをはじめるについては、いかにもそれが偶然のキッカケからしかも全く相手の鴨の当人から進んで発議させるよう、そこは別段と細心な注意を払ったものだった。いや、こんな厭な話は早く切上げるが、それにしてもこうした場合、もうあまりにも紋切型な狡智という狡智はことごとく施されていたのだから、一面からいえばいまだにそれにかかる愚か者が絶えないということの方がむしろ不思議だともいえるのであった。

カルタは夜遅くまでつづいた。そしてとうとう僕は巧みにグレンディニングとの一騎打ちという風に持って来た。しかもゲームは僕得意のエカルテであった。他の連中は、僕等の勝負の成行に興がって、みんな自分たちのゲームはやめて、僕等を囲んで眺めている。宵のうちから、これも僕の巧妙な策で、大いに飲ませておいたから、グレンディニングはすでにひどく酩酊の形で、なにか狂気じみた苛々しさで、札を切ったり、配ったり、勝負をしたりしていた。それは一つにはたしかに酒のせいもあったろうが、あながちそればかりとは思えなかった。忽ちのうちに僕に対して大きな借りになってしまったが、そこで彼はポルト酒を一杯グーッと飲み干すと、果して僕が冷静に計画していた通り――そうでなくてさえ莫大な額になっていた賭金をさらに二倍にしようと言いだした。僕は巧みに進まないような顔をして、幾度も拒絶した揚句、ついに彼の方でも言葉を荒らげる、と僕はムッとした顔で、それまで言われてはどうも仕方がないというような形ではじめて承知したのであった。結果はむろんいかに彼が完全な鴨であったかを示したにすぎない。一時間もたたないうちに、負債はさらに四倍にもなった。すでにしばらく前から酒の染めた桜色の火照りはすっかり退いていたが、今や驚いたことに、彼の顔色はまこと凄いばかりに蒼ざめていた。驚いたことに、と僕はいうのだ。というのは、いろいろ僕が熱心に探ったところでは、きまって彼は底知れない金持だとの話だった。してみるとまだ今までに彼がすっている額というのは、それはたしかに莫大なものに違いなかったが、さりとてまさかそんなに頭痛の種になる、ましてこれほどまでに激しい打撃を与えるものとはとうてい思えなかったからである。今飲んだばかりの酒のせいだとは、一応すぐに僕の頭に浮んだことだった。で、なによりもまず仲間たちの前に、僕自身の評判を傷つけまいという利己的動機から、僕は断乎としてもうカルタはよそうと言おうとしたが、その時だった、僕はふと傍にいた仲間たちの顔に浮んだある種の表情や、一方にはその時グレンディニングの口から洩れた恐ろしい絶望の叫びとに、今さらのように悟ったのだった。僕はこの男を完全に破産させてしまったが、なんぞしらん、彼こそはすべての人々の同情を受け、悪魔さえがその魔手を差控えたであろうような、そうした憐れな事情の下にある人間であったのだと。

その際僕としてはどうすればよかったのか、これは難しい問題だ。餌食になった哀れな彼の姿は、部屋中に一種息詰るような暗鬱さを投げた。ちょっとの間深い深い沈黙が領したが、その間にも僕は、仲間の中でもまだ幾分善良な連中から、僕の上に投げかけられている、燃えるような侮蔑と非難との視線をまるで痛いまでに感ぜずにはいられなかった。それからこれも白状するが、この堪え切れない不安の重荷を、その時ほんの束の間だったが、僕の胸から除いてくれたのは、つづいて起った、これはまた突然、思いがけない人であった。一瞬間部屋の重い大きな褶《たた》み扉がサッと恐ろしい勢いで一杯に開いたと思うと、その煽りで部屋中の燭火《ともしび》はまるで魔法のように吹き消えてしまった。ただその消えがけの光に、僕は辛うじて一人の男、背丈はちょうど僕くらい、しかとマントに深く身を包んだ見知らぬ男が入って来るのをちらと見た。だが、すでに四辺は真暗闇だった。われわれはただその男がわれわれの真中に立っているのを感じるだけだった。この乱暴が一瞬投げこんだ極度の驚きから、まだ誰も立直るその間もなく、われわれは闖入者の声を耳にした。

「諸君」低い、はっきりした、しかも決して忘れることのできぬあの耳語するような声だった。僕は骨の髄までゾッとした。「諸君、僕はこの無礼に対して陳謝しようとは思わない。こうすることによって、僕は一つの義務を遂行しているのにすぎないからだ。疑いもなく諸君はこの男、現に今夜グレンディニング卿からエカルテによって莫大な金を捲き上げたこの男の正体について、まだなんにも御存じないように見える。だから僕は、きわめて必要なその知識を、今直ちに有無を言わせず得る方法を御伝授しよう。どうか彼の左袖のカフスの内側と、あの縫取りしたモーニングの大形ポケットの中にあるはずだ、幾つかの小さな包を、一つゆっくりと点検願いたい。」

そう彼が言っている間、部屋の中の深い沈黙は、まるで床に落ちる針一本の音さえ聞取れるほどだった。語り終ると、彼は直ちに、入って来た時がそうであったように、またアッと思う間に行ってしまった。その時の僕の気持は、それは言葉に述べられるものであろうか？——述べるとすれば——そうだ、地獄に堕ちた人間のあらゆる恐怖を一瞬にして感じたとでもいうよりほかはないか？　だが、それさえゆっくり反省の余裕などはなかった。忽ち多勢の手が荒々しく僕をつかんだと思うと、みる間に再び火が点ぜられた。つづいて身体検査が行われた。袖の裏からは、エカルテに一番肝腎な絵札がことごとく揃って出てくるし、モーニングのポケットからは、これも数組のカルタ札、しかも今まで勝負に使っていたのと寸分違わぬもので、ただ一つ違っているのは、僕のはすべてその道の言葉でアロンデと呼ばれるもので、即ち役札《オナー》はすべて上下の縁が心持ちふくらんでおり、同じく素札は左右の縁がふくらんでいるのである。こうしておけば、鴨の方では普通に縦にカルタを切るから、自然役札ばかりを敵に切って渡すことになるし、一方欺す方では横に切って、これまた確実に相手には、点にならぬ素札しか渡らぬようにできている。

もしこの露顕に、みんながいきり立って激昂でもしてくれれば、僕にとってはまだしもよかったのだ。だが、誰もじっと無言で侮蔑の眼を投げるか、でなければ嘲笑でもするように静まり返っているばかりだ。

「ウィルソン君」と、部屋の主は身を屈めて、脚下から、これはまた途方もない贅沢な毛皮のマントを拾い上げながら、言った。「ウィルソン君、さあ、これは君のものだ。」(寒い日だった。で僕は自分の部屋を出る時、部屋着の上にマントを羽織って来て、この部屋へ入ると脱ぎ捨てておいたのだ。)「もうこの上さらに君の手並みを拝見するために、」(と彼は、マントの襞目を苦笑しながら眺めていうのだ。)「こんなところまで捜すのは余計だろう。もうわかったろうと思うが、君にはオクスフォードから出て往ってもらわなくちゃならない。——少くともこの僕の部屋からは早速出て往ってもらいたい。」

いかに恥じ入り、いかに消えも入りたい気持でいたとはいえ、この侮蔑的な一言には、僕としてもむろん直ちに暴力に訴えてでも怒りを発すべきところだったろう、ところがその時僕の全関心は、世にも驚くべきある事実にすっかり気を取られていたのである。僕の着て来たマントというのは、それは素晴しい毛皮のものだった。どんなに素晴しい、どんなに途方もなく高価なものだかは、今さら言うまい。だが、その仕立もまた僕独特の奇抜な考案で、つまりこうしたくだらぬ事柄というと、僕は実に馬鹿げたほど気むずかしい洒落者だったのだ。だからプレストン君が褶《たた》み扉の傍の床の上から拾い上げたそのマントを僕に渡してくれた時、僕はほとんど恐怖に近い驚きをもって見たのである。僕自身のマントはすでにちゃんと腕にかかえている（明らかにいつの間にか無意識にかかえたのだ）、しかも渡されたマントというのが、まことに隅から隅まで一分と違わぬまさしく僕のと同じものではないか。そういえばすっかり僕の正体をあばいて見せたあの男、あの奇妙な人物がたしかにマントに身を包んでいた。そしてそのほかには僕以外、集まった連中にマントを着ていたものは一人もない。それでもまだいくらか落着きは残っていたと見え、僕は静かにプレストン君の渡してくれたマントを受け取ると、そっと気づかれないように自分のマントのその上に羽織り、むしろ昂然として部屋を出た。そして翌朝まだ夜の明けぬうちに、恐怖と屈辱とに烈しく疼く胸を抱きながら、僕はオクスフォードから大陸へとそそくさと旅立ったのであった。

　だが、空しい逃避行だった。意地悪い運命は、まるで勝ち誇ったように僕を追いかける。事実そしてその不可解な支配力の働きは、やっとようやく始まったばかりだったのだ。パリへ足を踏み入れるや否や、僕はまたしてもあの憎むべきウィルソンが僕の行動に関心を注いでいるという新しい証拠を握った。幾年か経ったが、僕の心は一瞬として安まらない。悪童め！——ローマでは、折角の野心の一歩手前で、実に思いがけなく、しかもまるで通り魔のように横槍を入れてきた。ウィーンでも——ベルリンでも——モスコウでも！　実際いたるところで、僕は心中深く彼を呪わないではいられないような仕打ちにばかり会っていた。とうとう僕は、まるで疫病からでも逃れるように、倉皇として彼の不可測な暴君振りから逃げまわっていた。だが、たとえ地の果てまで逃げようと、それは空しい逃避行だった。

「奴は何者だ？——どこから来るのだ？——そして一体なんの目的で？」幾度僕はこんなことを心ひそかに自問自答したかわからない。だが、答はえられなかった。次には、無礼きわまる彼の監視振りの、形式、方法、そして主な特徴などを一々仔細にわたって吟味してみた。だが、そこにも特に臆測の根拠になるような事実はほとんどなかった。だがただ一つ直ちに気のつくことは、近頃彼が邪魔をした夥しい実例の、かりにどれ一つをとってみても、彼が現われて計画を挫折させたり、実行の妨害をしたりしたのは、もしそれがそのまま遂行された暁には、恐るべき悪行に終ったであろうような場合だけに限られているということだった。だが、それにしてもあの専横きわまる権力に対して、これはまたなんという哀れな名分だ！　自由行動という人間生得の権利がこれほどまで徹底的に、しかも無礼きわまる仕方で否定されながら、これはまたなんという哀れな損害賠償だ！

また今一つ気づいたことは、この僕の迫害者がかくも長い間（ただその服装を僕と同じうするという奇妙な考えは、実に細心に、しかも奇蹟に近い巧みさで、あくまで変えないでいながら）、あの度々の妨害に当っても、その顔だけはどんな時でも決して僕に見せないようにしているということだ。果してウィルソンが何人か、それは知らぬが、少くともこの一事だけはまことに衒《てら》いとも愚かとも言いようのないものであった。イートンでは僕に忠告し――オクスフォードでは僕の名誉を粉砕し――さらにローマでは僕の野心を、パリでは僕の復讐を、ナポリでは僕の激しい恋愛を、そしてエジプトでは勝手に僕の貪欲と誤解して、それらを事毎に妨害したこの男――いわば僕にとってのサタン、悪霊ともいうべきこの人物を、あの学童時代のウィリアム・ウィルソン――同姓者であり、級友であり、競争者――ああ、実にブランズビー塾におけるあの憎み恐れた競争者であったあのウィルソンであると、いくらなんでも僕が気づいていないなどと、まさかにそんなことを考えていたのであろうか？　冗談じゃない！――だが、それよりもいよいよ最後の大芝居へと話を急ごう。

いったいこれまで僕は、この高圧的な専制に実に意気地なく屈していた。彼ウィルソンの高邁な性格、驚くべき聡慧《そうけい》さ、まるで全能遍照、神とも見えるその存在に対して、僕が絶えず感じていた深い畏敬は、それだけではない。彼の不遜や、その他ある種の特徴からくるほとんど恐怖にちかい感情と相俟って、これまで彼の前には全くの劣等感、無力感をどうすることもできなく、激しい反撥を感じながらも、みすみす彼の専断に対して服従せざるをえなかったのだ。だが、その頃になっては僕は完全に酒浸りとなり、それがさらに例の遺伝的素質に狂気じみた影響を与え、今ではいよいよ一切他からの指図に対して、居ても立ってもいられなくなった。ようやく不平を呟き——逡巡し——そして反抗に出るようになってきた。しかも僕自身の出方が強くなればなるほど、かの迫害者の強さは歩一歩弱くなってゆくように思えたのは、果して単に僕の気のせいだけだったのであろうか？　だがそれはとにかく、今や僕はようやく燃えるような希望の力を感じはじめ、ついにはもう二度と再び奴隷になどなるものかという堅い、むしろ絶体絶命の決意を心ひそかに固めたのであった。

一八××年、ちょうど謝肉祭のローマだった。僕はナポリのディ・ブロリオ公爵邸に催された仮装舞踏会に出席した。痛飲淋漓、いつもよりさらに一段と酒を過していたが、そのうちに混み合って息づまるような室内の空気が僕にはもうたまらなくなった。その上、ごった返した主客の間をやっと押し分けてゆく困難さも、少からず僕の苛立ちを刺激していた。というのは僕は老ディ・ブロリオ公の溺愛する、若い、美しい公爵夫人の姿を（それがどんな卑しい動機からであったか、それは聞かないでもらいたい）一心に探し求めていた。ただ安心していうには、あまりに不謹慎にすぎると思うのだが、彼女はこの日つける仮装衣裳の秘密を、ちゃんと前もって僕に話してくれていたのである。今や、その彼女の姿がチラリと見えたものだから、僕は大急ぎで傍へ行こうとしていたのだ。——その時だった、僕は、つと誰か軽く僕の肩に手をかけるのを感じ、同時にあの忘れもせぬ低い、呪わしい囁きを耳にした。

忽ち怒り心頭に発して、僕は矢庭にクルリと向き直ると、この邪魔した男の襟首をムズとつかんだ。果して予想通り、寸分僕と同じ服装をしていた。青ビロードのスペイン風マントを羽織り、腰の周りにしめた深紅の革帯から細身の剣を吊している。顔は黒絹の仮面がすっぽり包んでいた。

「畜生！」怒りに嗄《しゃ》がれた声で僕は叫んだ。しかもその叫ぶ一語一語が、そのままた怒りを焚きつける新しい薪になるのである。「畜生！　この大かたり！　地獄堕ちの悪童め！　貴様などに付き纏われて、むざむざ殺されたり、誰がするものか——誰がするものか！　さあ、ついて来い！　来なけれゃこの場で刺し殺すぞッ！」そのまま僕は、有無をいわせず彼を引き摺って、搔きわけるように、舞踏室から隣の小さな控室へ飛びこんだ。

入ると、いきなり激しく彼を突き離した。彼はよろよろとなって壁に突きあたったが、その間に僕は呪いの罵声とともに扉を閉めきると、剣を抜けと叫んだ。彼はちょっとためらったが、やがてかすかな溜息を洩らすと、黙々と剣を抜いて身構えた。

試合はきわめて簡単だった。僕はもう狂気じみた興奮にすっかり狂乱しているので、ただ腕一本にまるで千万力の勢いを感じていた。忽ちのうちに、猛然と彼を羽目板に追いつめ、こうしてもはや彼の生死を掌中に握りうると、兇暴無惨に幾度となく彼の胸を刺し貫いた。

ちょうどその時、誰か扉の挿錠を開ける音がした。僕は大急ぎで闖入者を防ぎとめると、すぐもう一度瀕死の相手の傍へ帰ってきた。だが、その時眼の前の光景を一瞥するや否や、忽ち僕を襲ったあの驚愕、あの恐怖を、果して十分に現わしうる人間の言葉があるであろうか。ほんの一瞬眼を逸らせていたその間に、どう見ても部屋の奥、上手一帯の造作がすっかり一変しているのだ。今の今までそんなものはありもしなかった場所に、大きな一枚の姿見――狼狽のあまりとはいえ、たしかに最初はそう思えた――が立っている。しかも恐怖のあまりそれに近づいてゆくと、向うからも僕の姿、だが顔色は土気色になり、血塗れになったのが、足もとも危うくよろよろと近づいてきた。

むろんただそう見えたのだ。事実はそうでなかった。それこそはわが怨敵——今や断末魔の苦痛の中に突立っているウィルソンその人だったのだ。仮面とマントは、脱ぎ捨てられたまま、床上に落ちていた。彼の衣服の糸一筋も——いや、彼のあの特異な容貌の線一本も、それは実にそっくりそのまま僕自身のでないものはなかったのだ！

まさにウィルソンだった。だが、もうあの耳語するようなかつての彼ではなかった。そして僕は、ほとんど僕自身が喋っているのではないかと錯覚したのだが、はっきりと彼は言った。

「君は勝った。僕は降参する。だが、これからは君ももう死人だ、——この世に対し、天国に対し、そしてまた希望に対して死人なのだ。君は僕の中にあって生きていたのだ。——その僕の死によって——さあ、この僕の姿、取りも直さず君自身なのだが、よく見るがよい——結局君がいかに完全に自分自身を殺してしまったかをな。」

いかにも！　私は、——ひどい神経質、——いや、神経質も神経質、病的なまでにひどい神経質になっておりました。今もそうでございます。だが、それにしても貴下方は、なぜ私を狂人だとおっしゃりたいのでございます？　病気のために、私の感覚は、異常に鋭敏になっておりました。——駄目になるどころか、——鈍らされてもおりませんでした。とりわけ物音を聞きつける感覚は、恐ろしいほどでございました。天地の間のあらゆる物音を、私の耳は聞きました。地獄の音さえ聞きました。だが、それにしても、なぜ私が狂人なのでございましょう？　お聞き下さいませ、この通り一部始終を私は立派に、常人同様に、——冷静に申し上げることができるのでございます。

どんなふうで、この考えが、はじめて私の頭に萌《きざ》しましたものやら、それは私にも、申し上げることができません。しかも、それが一度はっきりした形をとりまして以来というものは、私は日夜、この考えに悩まされつづけたのでございます。これといって、目的があってではございません。一時の怒りからでもございません。私はあの老人を愛しておりました。あの男から、どうされたということもございません。侮辱など受けた覚えは、もちろんございません。老人の金がほしいなどという、――もとよりそんな心は、毛頭ございませんでした。考えますのに、問題はあの眼でございます。そうです、あの眼でございます。淡碧《うすあお》い瞳、しかもそれにすっと一枚薄い膜のかかった、――まるで禿鷹のような眼を、あの老人はしていたのでございます。ふとあの視線に射られた時など、私の血は、一瞬に凍えるような思いが致しました。そんなわけで、いつからともなく、――だんだんと、私はあの老人の息の根をとめてしまうこと、つまりそうすることによって、あの瞳を永久になくしてしまおうと、決心したのでございます。

ところで、ここが肝要なところでございますが、貴下方は、私を狂人だとお考えになっておられます。狂人というものは、自分ではなんにもわかっておりません。ところが、この私は、ああ、ぜひとも貴下方にお目にかけとうございました。どんなに利口に、――どんなに用心深く、――いや、どんなに先々まで慮って、事を運びましたことか、どんなに巧みに白ばくれて仕事に取掛りましたことか、ぜひとも御覧に入れたかったものでございます。いよいよ決行致します前、一週間と申しますものは、私はこの時ほど、老人にやさしく致しましたことはございません。毎晩、真夜中頃になりますと、私は、あの男の部屋の扉の掛金を外しまして、――そっと、それを開けるのでございます。そこで、ちょうど私の頭が入るだけ開けますと、私はまず暗い手提ランプ――そうでございます、一筋の光も洩れぬように、すっかり蔽いをしました手提ランプを、そっと差し入れ、次には私の頭を入れるのでございます。さよう、そのそっと上手に差し入れます工合、もし貴下方が御覧になりましたら、きっとお噴き出しになったに相違ございません。老人の眠りを妨げませぬよう、そうっと、――それはそれは、実にそうっと入れてゆくのでございます。臥《ふ》せっております老人の姿が見えますまでに、スッポリ頭全体が入ってしまいますには、かれこれ一時間もかかりましたでございましょうか。如何でございます、――果して狂人に、このような利口なことができますものでございましょうか。さて、そうして頭がすっかり入ってしまいますと、次には手提ランプの蓋を、そうっと――これまた実にそっと、――なにしろ蝶番《ちょうつがい》が軋みますもので、――ちょうど細い、細い光が一筋、禿鷹の眼の真上に落ちますように、開けるのでございます。私は七晩――それも毎晩真夜中になりますと、この同じことを繰返したのでございます、――だが、例の眼は、いつもちゃんとかたく閉じておりました。そんなわけで、とうとう決行することはできませんでした。と申しますのは、私を悩ませますのは、あの老人ではございません。ただあの悪魔の眼なのでございますから。こうして毎朝、夜が明けますと、私は大胆にもあの男の部屋へ参りまして、さも親しげに名を呼びますやら、昨夜はどうだったね、などと申しまして、それは勇敢に話しかけたものでございます。でありますから、もしやそれでもあの老人が、時もあろうに深夜の十二時という時刻に、この私が毎夜彼の寝巻姿をうかがっていたことに感づいていたと致しますならば、それこそ大した老人だと申さねばなりますまい。

八日目の晩でございました。私はいつもよりもさらに細心に扉を開けました。私の手の動き、それは時計の分針でさえ、よもやこれほどゆっくりではございますまい。いや、この私自身でさえが、その晩はじめて、今更のように私の知恵才覚、——工夫の巧みさに、つくづく感心致しましたような次第でございます。もはや私は、われながら得意の気持を抑えることができませんでした。こうやって、私がそっと少しずつ扉を開いている、しかも相手の老人は私のこの秘密の思い、秘密の行動を、夢にさえも感づいてはおりません。と、そんなことをふと考えますと、思わずクスリと笑いが出かかったものでございます。聞き咎めたのでございましょうか、突然なにかに驚いたように、老人は身動きを致しました。さぞ驚いて、思わず後退りでもしたろうと、お考えになるかもしれませんが、——いや、そうではございません。部屋の中はそれこそ真の闇(盗賊の用心でございましょう、鎧扉は、すっかり閉め切ってあるのでございます)、とても扉の開き口が、見えないことはわかっておりました。私は相変らず、ジリジリ、——ジリジリッと押し開けてゆきました。

頭が入りました。さて手提ランプの蓋を開ける番でございましたが、その時、思わず拇指が、ブリキの留金にカチリと滑ったのでございます。老人は、ガバッとベッドに起き直りますと、誰だ、と大声に呶鳴りました。

私は黙って、一言も答えませんでした。ものの一時間ばかりも、そのまま筋肉一つ動かしませんでした。だが、それでも老人の、横になるらしい物音は聞えません。じっと聞耳をたてながら、ベッドに坐っているのでございます。――ちょうどそれは、毎晩毎晩、私があの壁の中の茶立虫のたてる鳴声に、まんじりともしないで、じっと耳を凝らしているのと同じでございましょうか。

やがて私は、かすかな、呻くような声を聞きました。ああ、あの怖ろしい死の呻きでございます。ただ苦痛や悲しみの呻き、――それではございません、ああ、――それこそは、人間の心が恐怖に圧倒された時のような、魂の底から振り絞る、異様な、息詰るような低い声なのでございます。よく聞き覚えのある声でございました。幾晩も幾晩も、ちょうど真夜中ごろ、世界中が眠りに落ちてしまうと、きっとこの胸の底から湧き上ってくる呻きでございます。そしてその恐ろしい反響《こだま》が、いよいよ恐怖を深めるばかりで、私は、もう気も狂いそうになりました。聞き覚えのある呻きと申し上げましたが、私にはあの老人の心の中が、はっきり読めるような気が致しまして、心の中では思わず北叟《ほくそ》笑みましたが、実は可哀そうな気も致さぬではありませんでした。あの最初のカタリという物音に、思わず寝返りを打って以来というものは、ずっと眠りもやらず、耳をすましておりますのが、よくわかっておりました。老人は、だんだんと恐怖の俘囚《とりこ》になって参ったのでございます。なんでもないと、そう幾度も考えようと致します。が、駄目なのでございます。「なに、なんでもない、暖炉に鳴る風の音だ、でなければ床を走る鼠の足音だろう、」とも、「いや、こおろぎが思い出して鳴いただけだ、」とも、老人はひとり自分の胸に言い聞かせていたのでございます。そうでございます、そんなことを考えて、せめても自分で自分を慰めていたのでございます。だが、すべては無駄でございました。そうです、無駄でございました。というのは、現にあの真黒い「死」の影が、そっと忍び足に近づいて来て、可哀そうに、すでに老人を押し包んでしまっていたのでございます。部屋の中に差し入れた私の頭を、老人が——そうです、むろんそれは見えも、聞えもするはずはございませんが、——でも、はっきり感じることができましたというのも、つまりは、この見えない影の怖ろしい仕業だったのでございます。

長い間、それは随分根気よく、私は、気配をうかがっておりました、が、依然横になるらしい気配は聞えません。そこで私は、ほんのわずか、——いや、ほんとうにわずか、毛筋ばかりほど、手提ランプの蓋を開けることに致しました。いよいよ開けました。ジリジリ、ジリジリッと、――いいえ、どう申し上げましても、とてもおわかりになることではございません、――ああ、とうとうそれこそ蜘蛛の糸のような、かすかな光が一筋、スッと隙間から流れて、その禿鷹の眼の真上に、ピタリと落ちたのでございます。

ところが、なんとその眼は、――カッとばかりに、広く、広く、見開いているではございませんか。それを見つめておりますうちに、私は、グッと怒りのこみ上げてくるのを感じました。今こそありありと、あの眼を見たのでございます、――鈍い碧い眼、そしてあの私がいつも総身に水を浴びたような思いをする、恐ろしい、膜のある眼、それをありありと、眼のあたり見たのでございます。眼のほかには、老人の顔も姿も見えません。本能とでも申しましょうか、私はあの悪魔の眼一つに、それこそ寸分たがわず、ピタリと、その一筋の光をあてていたのでございます。

さよう、先程も申し上げましたように、貴下方が狂気とおっしゃいますのは、畢竟するに、病的に鋭敏な神経というただそれだけのものではございますまいか？――いや、ちょうどその時でございました、ふと私は、低い、鈍い、しかも急調子な、まるで時計を木綿布片ででもくるんだような物音を、耳にしたのでございます。これも聞き覚えのある音でございました。老人の心臓の鼓動なのでございます。それを聞きますと、私の怒りは、ちょうどあの太鼓の音で、兵士が勇気づけられると申しますように、一層煽られて参ったのでございます。

だが、それでもまだ私は、じっと我慢をして、身動き一つ致しません。呼吸もほとんど殺しておりました。石のように、じっとランプをさしつけておりました。このままどれだけ持ちこたえていられるものか、私は懸命でございました。そのうちにも心臓の鼓動は、刻々に高まって参ります。一刻は一刻よりも速く、一刻は一刻よりも高く、なって参ります。老人の恐怖はもう必死だったに違いございません。今も申し上げましたように、音は刻一刻と高くなって参ります。――ああ、よくお聞きになっていらっしゃいましょうな？　私は神経過敏な人間だ、と申し上げましたが、全くそうなのでございます。時もあるに、真の真夜中、この古い家の恐ろしい沈黙の中で、この異様な音を聞いているのでございます。もうわれながら、どうにもならない恐怖に、すっかり取りのぼせてしまいました。それでもなお二、三分間は、じっと我慢をしておりました。だが、鼓動は依然として、刻一刻高くなって参ります。心臓もなにも破裂してしまうに相違ないと思われました。今度は、まるで別の心配に襲われはじめたのでございます――もしかして、隣家の者にでも聞きつけられはしないか？　もう仕方がない。私は急に大声を上げると、いきなりランプの蓋をカラッと開けて、矢庭に部屋の中に躍りこんでいました。老人はギャッと一声、――ええ、ただ一声きりでございましたが、異様な叫びをあげました。あッという間に、私は彼を床の上に引きずり下し、そのまま重いベッドで、圧殺してしまったのでございます。案外スラスラと片づいたのを見まして、私ははじめて心も軽々と笑いました。もっとも、心臓だけは、まだしばらく鼓動しつづけておりましたが、そんなことはなんでもございません。もう壁越しに聞きつけられる心配は毛頭ないのでございますから。しかしそれも、しばらくすると停りました。いよいよ死んだのでございましょう。私は静かにベッドを除けて、屍体の検査に取りかかりました。いかにも完全に往生しております。心臓の上に手をやって、暫らくじっと、そのままにしておりましたが、もとより鼓動はございません。石のように死んでしまっておりました。もう二度とあの眼に悩まされることはありますまい。

それともまだ私を、狂人とお考えになりましょうか？　それなれば私が、どんなに細心に、どんなに用心深く、屍体を隠す工夫を致しましたか、それを申し上げましたならば、まさかにそうは、お考えにならないと存じます。夜中を過ぎました。私は黙々と、大急ぎで仕事にかかりました。まず第一に、屍体をばらばらに致しました。頭と腕と脚とを切り離しました。

それから今度は、部屋の床板を三枚外しまして、それらを残らず、根太の間に抛りこんでしまいました。あとは、むろん手際よく元通りに直して、とても人間の眼などでは、——いや、たとえあの悪魔の眼でございましょうとも、気のつくはずはございません、——血の痕などはいうまでもないこと、——別に洗いとるようなものは、何一つございませんでした。すっかり樽に受けてしまったのでございますから。——ハ、ハ、ハ、、、。

さて、仕事が片づきましたのは、四時でございましたでしょうか。外はまだ真夜中のように、真暗でございました。ところが、ちょうど四時の鐘を聞きましたその時、突然表の戸口をノックするものがございます。なに怖がることがございましょう——私は、気も軽々と立って行って、扉を開きました。三人の男が入って参りまして、警察の者だと言いながら、ひどく慇懃な挨拶でございます。なんでも隣家の男が異様な叫び声を、耳にしましたところから、ふと疑いを起しまして、そのまま警察の方へ密告する、まあそんなわけで、家宅捜索に見えたということでございました。

私はニッコリ笑いました。——なに怖がることがございましょう。快く招じ入れますと、申しました。つまり、問題の叫び声と申しますのは、夢にうなされましたこの私の声でございます。唯今ちょうど老人は、田舎へ参って留守でございます、とそう言いながら、私は家中を案内致しました。どうぞお捜し下さいませ、——心ゆくまでお捜し下さいませ――とも申しました。そしてとうとうあの男の部屋まで、案内して参ったのでございます。金銭、所持品《もちもの》などは、もとより指一本触れないままで、お目にかけました。自信の余りと申しましょうか、私は椅子まで持ちこんで参りまして、さぞお疲れでございましょう、どうぞお休み下さいませ、などとまで申しました。そして一方、私はと申しますと、すっかり勝誇ったよい気持になりまして、大胆にも現に殺した老人の屍体が匿してあります、ちょうどその真上に、自分の椅子を持って参りました。

警察の方も、満足なすったようでございました。私の様子にすっかり納得なすったのでございましょう。私も妙に心が落ちついてしまいました。一緒に腰を下しまして、ニコニコと、元気に返答申し上げます間には、警察の方もいろいろとなんでもないことまでお話しになりました。だが、まもなく致しますと、私はなにか総身から血の引くような気持が、致して参りまして、早く帰ってくれればよいと思うようになりました。妙に頭痛が致しまして、耳の底で、なにかガンガン鳴るような気がして参りました。だのに、相手は依然として腰を下したまま、喋りつづけております。耳鳴りは、だんだんはっきりして参りました、――止まらないどころか、層一層はっきりして参ります。まるでそれを打消すように、私もますますベラベラ喋りはじめました。だが、それでも耳鳴りはいよいよ高くなりますばかり、――そのうちに、私はふとそれが耳底の音ではないことに、気がついたのでございます。

もうその時は、真蒼になっていたに相違ございません。――だが、私は一層能弁に、一層声を張り上げて、喋りつづけておりました。しかし、相変らず音は大きくなるばかり――ああ、どうしたものでございましょう。それは低い、鈍い、しかも急調子な音、――まるであの時計を木綿布片でもくるんだような音でございます。私は、思わず大きな呼吸を吐きました、だが、警官方の耳には入りませんでした。私はますます早口に、ますます怖ろしい勢いで喋り立てます。それでも音は、刻一刻と高くなるばかりでございます。私は立ち上りました、――なにかくだらないことを、声高に、大げさな身振りまで交えて、頻りに議論しておりました。だが、相変らず、音は高まって参ります。ああ、何故早く帰ってくれないのだ！　私は、まるで相手の言葉にカッとなった男のように、ことさら激しい勢いで、大股に部屋中を歩き廻りました。――だが、相変らず音は高まってくるばかりでございます。ああ、どうしたらいいのだ！　私はもう泡を飛ばし、――譫言《うわごと》のように罵りつづけました。坐っていた椅子を振り廻し、無闇に床板に軋らせました。だが、音は消されるどころか、相変らず刻一刻と――だんだん、だんだん、大きくなって参ります！　だのに奴等はといえば、まだ面白そうに、なにか喋っては笑っております。いったい奴等には聞えないのだろうか！　ああ神様――いや、いや、そんなはずはない。ちゃんと聞えているのだ。怪しんでいるのだ、――知ってさえいるのだ、――それでいて俺の恐怖を嘲笑《あざわら》っているのだ！　と、そう私は思いました。いや、今でもそう思っております。まだその方が、この苦しみよりは、いくらましかしれません。あの嘲笑いを思えば、それはどんなことでも我慢できました。あの偽善者ぶった笑顔、私はもうとうてい我慢しきれなくなりました。もうここで声を上げなければ、きっとこのまま死んでしまうと、そんな気さえ致しました。しかもどうでしょう、――またしてもあの音は、――あっ、いよいよ大きく――いよいよ大きく、――ああ、たまらない！

「やい畜生！」私はもう夢中で叫びました。「白ばくれるのはよしてくれ！　いかにも俺だ！　さあ、その板を剝がせ！　ここ、ここだ、ここだ！　そうだ、怖ろしい彼奴の心臓なのだ、あの音は！」

天邪鬼

人の心の原動力《プリーマム・モビレ》たるもろもろの能力、衝動の考察において、骨相学者たちの見落しているある性癖——いわばそれは根源的、原始的な、基本的感情として、その存在は自明であるにもかかわらず、従来の道学者たちと同様、完全にこれを見落しているある性癖がある。それは全く人間理性の思い上りのために、ことごとく看過されてきたのである。「啓示」への信仰にもせよ、「密教《カバラ》」への信仰にもせよ、——とにかくわれわれに、信念——信仰というものがないために、その存在を認めることができない。言いかえれば、一にその超理性的性質のゆえに、一度としてわれわれの意識に上らなかった。その性癖の理解に——われわれは衝動の必要を感じなかった。いや、その必要を認めることも、理解することもできなかった。言いかえればよしこの原動力《プリーマム・モビレ》ということが頭に浮んでも、ついによく理解することはできなかったであろう。——即ち、いかにしてそれを地上ないし永遠の人間生活の諸目的の促進に役立たせうるか、ついに理解することはできなかったであろう。骨相学といい、また多分に一切の形而上学癖といい、それらはいわば先験的に捏ね上げられたものであることは疑いを容れない。理解型ないし観察型の人間よりも、むしろ知性型ないし論理型の人間が、あえて神のためにその意図を想像し、――その目的を指示したといってもよい。こうして人間の満足のいくように、エホバの意志を忖度し、そうした意志からして、彼の無数のいわゆる精神体系なるものをでっち上げていったのだ。たとえば骨相学だが、われわれは当然まず人は食わざるべからずということを神の意志として決定し、次にはじめて「嗜食性」の器官なるものを設定するとともに、これこそは神が、否でも応でも人間をして食をとらしめる、そのための鞭であるというのだ。次にはまた、人はその種属を維持せざるべからず、ということを神の意志だと勝手に決め、それによって直ちに「性愛性」の器官なるものを発見した。その他「抵抗性」、「想像性」、「因果性」、「建設性」――一言でいえば、一切ことごとくの器官は、それがよし一つの性癖、一つの感情を代表するものにせよ、それとも純粋に知的能力を代表するものにせよ、すべてそうだというのである。そして人間の行為諸原理に関するこの種の組合せでは、あのシュプルツハイムの一派もまた、正邪はとにかく、部分的に、また全体的に、原理としては一に先人たちの後塵を拝していたといってよい。一切を、あらかじめ設定された人間の運命ということから割出して、創造神の目的という基礎の上に築き上げたものだった。

（もし強いて分類が必要とあるならば、）なにも神の意志だなどという仮定の上にではなく、むしろ人が常に、または時々に、それとも常に時々に、為すところの行為を基礎として、分類した方がまだしも賢明であり、確実だったであろう。目に見える業《わざ》において、もしわれわれが神を理解できないとするならば、どうしてそれらの業をして業たらしめる、いわば理解を絶した思惟において、神を知ることができようか。客観存在としての被造物においてすら、神を理解することができないものが、どうして創造というその実存的な形相において理解することができようぞ。

もしも経験的な帰納法というものにさえ従っていれば、おそらく骨相学は、人間行為の内在的原始的原理として、逆説なあるもの（他により的確な名前もないままに、かりに「天邪鬼」と呼んでおくが）、そうしたものを容認したに相違ない。私のいうような意味で、それはまさに無動機の動因《モビレ》であり、動因のない《ナット・モチヴィールト》動機でもあるのだ。そしてその刺激に動かされて、われわれは全くこれという目的なしに行動するのである。もっともそういう言い方がすでに自己矛盾であるというならば、あるいは言葉は変えてもよい、即ち、その刺激に動かされて、われわれはそうしてはならないからこそ、かえってそれをするのだと。理論的にいえば、およそこんな不合理な理由というものはなかろうが、現実においては、およそこれほど強い理由はないのである。ある種の人間が、ある種の状態におかれた時、それはもう絶対に不可抗的な力をもつ。私が現に生きて呼吸している、その確実さと同じ確かさをもって私は言いたいが、実はわれわれにとってある行為が悪であり、罪であるというその確信自身、いや、それのみが、かえってその行為を犯させる、唯一の、打ち勝ち難い原動力となっている場合が決して珍しくないのである。しかも悪のために悪をなすという、このどうにもならぬ傾向は、もはやこれ以上根本的な要素には、分析も分解も許さない。いわば根源的な、原始的な、——いってみれば元素的衝動であるのである。もっともそういうと、次のような異論の出るのはわかっている。即ちわれわれがある行為を、してはいけないと知る故に、むしろあくまでつづけているというような場合、それは結局骨相学でいう、普通にいわゆる「抵抗性」から生じる行為の単に一変形にすぎなかろうというのである。だが、ちょっと考えてみれば、その考えの誤りはすぐわかる。骨相学でいう「抵抗性」とは、本質において自己防衛の必要から生れる。いわば危害に対する安全装置ともいえる。根本原理は、われわれの幸福を尊重し、従ってその発達と同時に、必ず幸福でありたいという欲望が昂まってくる。従って、また単に「抵抗性」の変形にすぎないというような行動原理には、必ずそれに伴って、同時に幸福でありたい欲望の昂揚がなければならない、ということになる。ところが私が「天邪鬼」と呼ぶこのあるものの場合には、今のその幸福でありたい欲望が起らないのみか、むしろ反対の強い感情が存在するのである。

結局、各自自身の心情に訊いてみるのが、この詭弁に対する最上の答弁であろう。もし真実に自分の魂に訊き、隈なく心の隅を探ったものならば、問題のこの性癖について、その完全な根源性を否定するものはよもあるまい。明瞭ではあるが、ただ理解することが困難なのである。誰にしても、たとえばある時期に、なんとかわざと迂遠な言い方をして、聴き手を焦立たせてやろうというような、そんな大真面目な願望に苦しんだ経験があるにちがいない。相手を怒らせることはわかっている。むしろなんとかして喜ばせたいくらいなのだ。現にふだんは簡潔、的確、明晰な言い方をしているのだ。とりわけ簡明な、わかり易い言い方が、今にも口の先から出かかっていて、むしろそれを抑える方が苦しいのだ。それに相手方の腹立ちは、怖くもあれば、避けたいものとも思っている。それでいてその時ふと、もしある種の錯綜した言廻しや、挿入句などを用いればこいつは相手の怒りを挑発できるかもしれぬ、という考えが頭をかすめるのだ。もうそれだけで沢山だ。衝動は希望となり、希望は願望となり、願望はやがて抑え切れない切望となり、そしてその切望に(それは現に話し手自身にも深い悔恨と苦悩の種となり、結果の悪いこともみすみすわかっているのだが)、溺れてしまうのである。

たとえば大急ぎでしなければならない仕事がある。ぐずぐずすることは破滅だというともわかっている。いわばわれわれの生活の最大の危機が、高鳴るラッパのように、立って直ちに行動せよと叫んでいる。われわれは興奮し、心は早く手を着けたい熱意に燃えている。輝かしい結果を思い描いては、われわれの全霊は焰と燃えてさえいるのである。今日しなければならない。今日でなければ駄目である。しかもそのくせ明日に延ばしてしまうのだ。何故だ。答はただ一つ、むろんその根本原理についてはなんの理解なしに使っている言葉だが、「天邪鬼」の感情と答えるほかはない。明日が来る。そしてそれと一緒に、義務を果したい気持は一層烈しく切なのだが、その切望の激しさと比例して、一種名状し難い、しかも不可測なればこそますますもって怖ろしい、無性に延ばしたい一種の気持が湧くのである。時がたつにつれて、この気持はいよいよ強くなる。最後の実行時は迫っている。明確なものと、なにかある漠然としたものと——実態と影と、——心の中の激しい両者の葛藤に、われわれは思わず慄然とするのだが、すでに葛藤がここまで来ていれば、勝利は影に決っている、——抵抗は一切無駄なのだ。時計が鳴る。一切われわれの幸福の弔鐘だ。しかも同時に、今までかくもわれわれを威圧しつづけていた亡霊に対する、それは暁告げる鶏の声でもあるのである。亡霊は退散して——消える——われわれは再び自由なのだ。元の気力がかえってくる。さあ、今度こそやるぞ。だが、ああ、時すでにおそいのだ!

断崖の突端に立つとする。はるか深淵を俯瞰して——思わず人は眩暈を感じる。最初の衝動はむろん危険からたじろぐことである。だが、そのくせ何故か決して立ち去らない。眩暈と恐怖とは、いつのまにか徐々としてある漠然たる、名状し難い感情の雲に呑まれてゆく。そしてこの雲は、いつのまにか次第に、ほとんど誰も気づかないうちに、あるはっきりした形をとってくる。あたかもあの「アラビヤ千一夜物語」の中で、壺の中から立ち上る煙が精霊になったというあの煙にどこか似ているのだ。もっとも断崖の突端に立つわれわれのこの雲から生れ出るものは、そうした狂言綺語の精霊、悪魔どころではないのである。もっともっと恐ろしいあるはっきりした形なのである。むろん恐ろしいといっても、それはあくまで観念だ。むしろその恍惚たる恐怖感の激しさに、思わず慄然として冷水三斗の思いさえある観念だ。言いかえれば、もし自分がこの断崖から真逆様に転落するとして、果して転落中の気持はどうだろうという、ただそれだけのことなのだ。しかもこの墜死——この暴死は、およそ人間考えうるかぎりの恐ろしい、醜悪な死態と苦痛とを思わせるものである故に、——かえって最も切にそれを願うのだ。そして理性がつよくわれわれを突端から引留めれば引留めるほど、その故にこそなおさら一切を振り切ってそこに近づくのだ。断崖の突端に立ち、恐怖に震えながら、なお飛降りを考えているこの人間の情熱ほど、世にも悪魔めく強烈な情熱というものがあるだろうか。何事にまれ、たとえ一瞬間でも考えてみたが最後、もうお仕舞なのだ。というのは反省はむろん止せとすすめるに決っている。だが、言っておくが、それだからこそやめられないのである。もし誰か友人の腕がわれわれを抱きとめるか、それとも突然ハタと後方に倒れてしまうかでもするのでなければ、われわれは必ず飛びこんで死んでしまう。

これら、ないしこれに類したさまざまの行為を検討してみるがよい。それらは一に「天邪鬼」根性から出ていることを知るだろう。してはいけないというただその理由だけで、人はそれらの行為を犯しつづけているのである。これ以上、このほかに、理由らしい理由は考えられない。しかもそれがせめて時たまになりと善の促進に役立つことがないとすれば、まさしく悪魔の直接使《し》嗾《そう》であると考えるよりほかないだろう。

さて、こんなことをくどくど言って来たのは、実はある意味で諸君の質問に答えるため——即ち、なぜ今私がここにいるか、それを説明し、——なぜこの手枷足枷を私が負い、なぜこの死刑囚房の一室にこうして坐っているか、せめてその理由の一端なりとも、諸君に示しておきたかったからなのだ。ひどく冗長であったかもしれない。だが、そうでなければ、諸君は完全に私を誤解して、そこらの有象無象の輩と同様に、私を狂気だとでも思ったにちがいない。これだけさえいえば、諸君もきっと、この私を、天下無数にいる「天邪鬼」の犠牲者の、その一人であると認めてくれるに相違ない。

　どんな行為にあれ、あれ以上完全な計画をもって遂行することはまず不可能であったろう。何週間も、何カ月も、私は殺害の方法について考え抜いた。遂行後に発覚の危険性を残すというので落第させた計画だけでも、千というには達しよう。ついに私は、あるフランス人の回想録を読んでいるうちに、つい物の間違いで蠟燭に毒が入ったため、マダム・ピローがほとんど致命的な病にかかったという記事を読んだ。私はとっさにこれだと思った。私は私の犠牲者がベッドで書見する習慣のあるのを知っていた。しかも彼の部屋が、狭くて、通風の悪いことも知っていた。だが、もうこれ以上余計な詳しい内容を述べて、諸君をわずらわせることはよしにしよう。また、いかに容易に、彼の寝室の燭台から蠟燭をとって、代りに私自身の作った蠟燭を置きかえたか、それも今さら述べる必要はあるまい。その翌朝、彼はベッドで死んでいた。そして検屍官の判定は――「神罰による死」ということであった。

　彼の財産を相続して、数年間は万事めでたく経過した。発覚するなどということは、一度として念頭にも浮ばなかった。あの死の蠟燭の残りは、注意深く自分で始末してしまったし、罪証をあげられることはもちろんのこと、いやしくも嫌疑のかかりうるような手掛りは、それこそ微塵も残してはいなかった。いわば絶対とでもいうべき安全さを考えては、どんなに大きな満足感が私の胸に湧き上ったか、とうてい想像もつくまいと思う。長い間私はこの感情に酔いつづけてきた。罪から生じた一切の世間的利益よりも、むしろ私はこの感情にはるかに大きな真実の喜悦を感じていた。だがついに、それはほとんど目に見えないほどの変化ではあったが、この喜びの感情が徐々として、執拗につきまとう懊悩の感情へと変っていった。執拗につきまとう、それが私を苦しめるのだ。一瞬の間も私はそれを追い払うことができない。もっともある意味では、ありふれた普通の歌の折返しじゃ、なんでもないオペラの断片が、ちょうどこんな風に、われわれの耳の奥、というよりはむしろ記憶の中に鳴り響いて、悩まされる経験は、決して珍しいことではないのである。たとえその歌がよい歌であり、オペラの旋律が傑れていようとも、それは少しも苦痛の軽減にはならないのだ。そんな風で、とうとう私は朝から晩まで、一身の安全ということのほかは一切念頭になく、ただ低く呟くように、「大丈夫だ」というその言葉ばかり絶えず繰返し口にしているようになった。

ある日、私は街をうろついている時に、ふと気がついてみると、またしても例のその文句を、半ば声に出して呟いているのだった。われながらカッとなって、私はその文句をこんな風に変えてみた。「大丈夫だ——大丈夫だ——そうだ——人前でしゃべってしまう、というそんな馬鹿をさえ俺がしなければ。」

ところがこの言葉を口にするや否や、私は私の心臓にさっと寒気の走るのを感じた。つまりそうした「天邪鬼」の発作（それがどんなものであるかは、わざわざ私は説明しておいたつもりだが）に関しては、私はすでに何度か経験ずみであるはずだ。しかも私の記憶では、かつて一度としてその攻撃に打ち勝ちえたことはないのである。ふと物の機《はず》みに洩らした自己暗示、――うっかりすると、自分の殺人を自分で白状してしまうような馬鹿をしないとも限らない、というその自己暗示が、今やまるで殺した男の亡霊ででもあるかのように、私の前に立ち塞がり――私を死へと手招くのだった。

最初は私も、なんとかこの悪夢を振り払おうとした。猛烈な勢いで歩いた――ぐんぐん――ぐんぐんと歩度を速めた――とうとう私は駆けていた。なにか大声で喚鳴らないではいられないような気がした。次から次へと波頭のように、新しい考えが新しい恐怖を伴って襲ってくる。というのは、今の場合物を考えることは、とりもなおさず身の破滅だということをあまりにもよく、あまりにもはっきり私は知っている。またしても私は歩度を速めた。ごった返した大通りを、まるで狂人のように跳んでいた。とうとう人々が驚いて、私を追いはじめた。いよいよ運の尽きだと観念した。もし舌を抜いてしまうというようなことができるものなら、むろん私はそうしたろう――だが、その時粗々しい声が耳もとにして――もっと粗々しい腕が私の肩をつかんだ。私は振りかえった――喘ぐように呼吸をついた。一瞬間、私はグッと息づまるようなひどい苦痛を経験した。目は眩み、耳は聾し、激しい眩暈を感じた。その時だった、私はなにか見えない悪魔が、大きな掌でポンと一つ私の背中を叩いたように思った。長い間心の奥に閉じこめられていた秘密が、堰を切って私の心から流れた。

なんでも人の話では、私ははっきり明晰な言葉で話したそうである。ただしかし私をこうして絞首人と地獄の手へと売り渡した、あの短い、だが意味深遠な告白を、最後まで語りおえるまえに、私はもしや邪魔が入りはしないかと、そればかり怖れてでもいるように、それは凄まじい勢いでひどく焦《せ》きこんで話したということだ。

法的に十分有罪を構成するだけしゃべってしまうと、私はそのまま気を失って倒れてしまった。

だが、もうこれ以上何を語る必要があろう。今日の私は、この通り鎖につながれてここにいる。明日はもう自由の身だ！――だが、何処でだろう、それは？

モルグ街の殺人事件

サイレンが、いかなる歌を歌ったか、またアキレスが、女人どもの間に、その身を隠した時、果していかなる仮の名を名乗ったか、それらは、まことに難問であるとはいえ、全くわれわれの推測を絶しているわけではない。

サ・トマス・ブラウン

通常、分析的と称せられている精神機能で、実は、ほとんど分析を許さないものが、いくらもある。それらは、ただ結果によって料《はか》るほかはない。だが、ただそれについて、わかっていることの一つは、この分析的能力なるものを、特に人並外れて具えている人間にとっては、それは、常に非常に生き生きとした楽しみの源であるということだ。あたかも強壮な人間が、その肉体的能力を得意として、なんでも筋肉を使う運動といえば、喜ぶのと同様に、この分析家もまた、なんでも物事を解きほごす知的活動といえば、夢中になる。どんな下らない仕事でも、彼のこの才能を、発揮させてくれるものなら、ただもう喜んでやるのである。謎遊びだとか、難問解きだとか、さては暗号解読だとか、とにかくそういったものが、なにより好きで、それらの解決に対しては、常人の理解力では、とうてい人間業と思えないような慧敏さを示すのだ。事実その結論は、手順も手順、実に整然たる手順によって、齎《もたら》されるのであるが、打ち見たところは、なんとしても直観としか思えない。

いったい解析の能力というものが、おそらく数学の研究、それもとりわけ、ただその逆行的操作の故をもって、不当にも、優先的に解析学と呼ばれている高等数学の研究によって、大いに発達させられることは、事実であろう。だが、それにもかかわらず、計算は、必ずしも分析ではない。たとえば棋士であるが、彼は計算はするが、分析はしない。したがって、知的能力に与えるチェス遊びの効果などということは、非常な誤解だということになる。僕は、いま別に論文を草しようというのではない。ただこれから、多少変ったといえば、変ったある物語をしようというに当って、いわばその前文として、いささか駄弁を弄しているにすぎない。したがって、言っておくが、高度に思索的な知的能力の涵養には、あのただ複雑なだけで、下らないチェス遊びなどよりは、地味ではあるが、ドラフツの方が、断然はるかにためになる。チェスという奴は、駒の動きが、多様、奇怪であるばかりか、そのまた強さが、まちまちで、しかも変化するというせいか、ただ単に複雑というだけのものが、(よくある誤解だが)なにかまるで深遠なものででもあるかのように、誤られる。チェスの場合、強く要求されるのは、「注意力」だ。こいつが、ちょっとでもお留守になると、たちまち見落しをして、大損をするか、負けてしまう。しかも動きが、きわめて多様、かつ複雑なために、そうした見落しのチャンスは、いよいよ大きい。そしてその結果、十中の九までは、慧敏な人間よりも、ただ注意の集中力の傑れた方が、勝つことになる。ところが、ドラフツの場合は、ちがう。動き方は、ただ一つしかないし、変化もまたほとんどない。自然、見落しの危険は、うんと減るし、単なる注意力などというものは、比較的不必要になる。敵味方いずれにせよ、優勢を得るとすれば、それは、より傑れた慧敏さによるほかはない。話が抽象的になったから、引き戻すが、——かりにドラフツの勝負で、盤面は、王将四枚だけになってしまったと仮定する。むろんこうなれば、もはや見落しのあるはずはない。そこでこの場合(もし対局者双方が、全く同等の棋力だとしての話だが)、勝負は、一に読《ルシェルシェ》みの結果、いいかえれば知性の働きの結果で、決定する。いわゆる普通の手は、すべてなくなってしまった以上、分析的な対局者は、自身すっかり相手の心になり、いわば自他合一の境地に入ってはじめて、相手を落手に誘ったり、または誤算に導いたりするような唯一の手(時には、実に馬鹿馬鹿しいほど単純な手なのだが)を、一見たちまちにして、発見するなどということも、よくあるのである。

由来ホイストは、いわゆる計算力と称せられるものを養うから、ということで、きわめて知力優秀といわれる人々が、チェスはつまらぬと斥けながら、ホイストの方は、一見不思議なほど夢中になってしたものだ。たしかに類似の遊戯中、ホイストほど、分析能力の鍛錬に役立つものはあるまい。チェスの場合は、たとえ世界一の名士だとしても、所詮それは、チェスの名人たるにすぎぬ。ところが、一方ホイストの上手ということは、およそ人間、智と智の闘いという場面においてならば、たとえどのような重大事であろうとも、立派にこれをやってのけうる能力を意味するものであり、ここで上手といった意味は、およそ正当な優位というものの由って来る筋々を、一つ残らずちゃんと知り抜いているという、そうした完璧の腕を指すのである。筋は、むろんたくさんあるばかりか、また多種多様であり、しかも通常の理解力では、絶対に到達不可能な思惟の深奥に隠れている場合が、多いのだ。注意深い観察とは、明晰な記憶ということである。で、その限りにおいては、注意力の集中に妙を得たチェスの棋士なら、当然ホイスト遊びにも、十分成功するだろうし、またあのホイルの定石の如きも(結局それは、単にゲームのカラクリに基いてできている以上)、これは誰にも、十分理解ができるはずだ。そんなわけで、名人上手といっても、結局それは、記憶がよくて、ちゃんと「型」通りやるというに、尽きるといってもよい。ところが一方、分析家の腕が示されるのは、単なる定石の限界を超えたところにおいてなのだ。たとえば彼が、無言の裡に、夥しい観察や推理をするとする。しかし、おそらくそれは、他の連中もするのである。そこで、結局それによって獲られる知識の差等というものは、推理の正しさよりも、むしろその観察の質如何によって、決るのだ。必要なことは、まずなにを観察すべきか、それを知ることにある。わが分析的勝負師は、決して考えを、狭く限ることはしない。目的が、ゲームそのものにある以上、そのためには、直接ゲームに関係がないからといって、ゲーム以外の事柄からする演繹を、拒むなどということはしない。まず味方の顔色を検討し、今度はそれを、敵方両人のそれと、丹念に比較する。各自の持ち札の揃え方まで観察し、その一枚毎に、チラと投げる持主の眼付一つで、切札、絵札の数を、一々数えることもできるのだ。ゲームの進行中、彼は、表情の変化一つだって、決して見逃しはしない。そして確信、驚き、得意、苦悩と、あらゆる表情の相違から、思考の材料を蒐集する。たとえば、打ち出された一勝負の札を集める、そのやり方一つで、その男が、もう一度同じ札で、果して勝負に出ることができそうか、どうか、ちゃんと判断できるのだ。また卓の上に札を投げる、その態度一つで、胡魔化しの術《て》くらいは、たちまちにして見抜いてしまう。ほんの偶然、なに気なしに洩らす言葉、ふと札を落したり、表を見せて、あわてて隠したり、かと思えば、ケロリとしていたり、あるいは出された札を数えたり、それを並べ直したりするその様子、その他、当惑、逡巡、焦《せ》き込み、狼狽などと――それらはすべて、一見したところは直覚力のように見えるが、実は彼の知覚能力に、ちゃんと事の真相を示しているのである。だからこそ、最初の勝負二、三回がすむと、もう彼は、各人の持ち札の内容を、完全に見抜いてしまっており、あとは、まるで他の三人とも、その持ち札全部を、彼に見せながら勝負をしているのと少しも変らない、彼は、全く絶対確実の自信をもって、つぎつぎと札を切り出してゆくのだ。

分析的能力と、単なる上手さとを、混同してはならない。というのは、分析家が上手なのは、これは当然だが、上手な人間、必ずしも分析家ではない。むしろひどく無能な場合が、しばしばある。上手というのは、通常構成的ないし結合的能力の現れで、したがって骨相学者などは、これを原始的能力の一つと見、(おそらく、謬《あやま》ってだが)むしろ別に独立した器官の作用《はたらき》であるかのように見做しているくらいだが、ところが、実はこの能力は、広く世の道徳学者などの注意を惹いたように、それほどしばしば、他の点ではまるで白痴同然の人間の中に、かえって見られることが、わかってきた。してみると、上手ということと、分析的能力との間には、まさしくあの空想と想像との間に存する相違に似ていながら、しかもさらに遥かに大きな相違が、あるものと見なければならぬ。すなわち、事実問題として、上手といわれる人間は、常に空想的であり、同様に、真に想像的な人間は、決って必ず分析的であるということが、わかるだろう。

　そこで、以下述べる物語は、読者諸君にとって、以上述べてきた命題の、ちょうど註釈として、役立つだろうと思えるのだ。

　一八××年の春から夏にかけて、僕は、パリ滞在中、C・オーギュスト・デュパン君と呼ぶ人物と、知合いになった。この青年紳士は、立派な家柄――むしろ名家といってもよい家柄の出だったが、いろいろ不運な出来事が重なって、ひどい貧乏になり、ために生来の気力も挫《くじ》けて、今ではもう、世の中へ出て活動する気も、家運挽回の念も、全くなくなってしまっていたのだった。幸い、債権者たちの好意で、親の財産が、まだ少しばかり残っていたもので、それから上る収入を頼りに、ひどくつつましい節倹をして、余計な贅沢さえ考えなければ、どうやらその日の糧に事欠くようなことは、まずなかった。事実、書物だけが、唯一の贅沢といえば、贅沢だったが、それくらいならば、パリでも、容易に手に入った。

　はじめて知り合ったのは、モンマルトル街の、とある名もない図書館でだった。ちょうど偶然、僕も彼も、同じ、あるきわめて特殊な稀覯書《きこうしょ》を探していたので、二人は、たちまち親しくなった。僕たちは、それからも、たびたび会った。ことに僕は、彼が詳しく話してくれた彼の一家の歴史、いや、あのフランス人というのは、談一度己れを語るということになると、実になんでもアケスケに話してくれるものだが、僕もまたその話に、すっかり興味を覚えてしまった。また彼の読書の広さにも、舌を巻いた。が、それらにもまして、僕の魂を、燃え立たせてくれたのは、彼の激しい情熱と、そして潑剌たる想像力の新鮮さだった。当時、僕がパリにいたのは、実は求めるある目的があってのことだったのだが、それには、このような人物との交りが、測り知れない貴重なものだった。そしてその気持を、現に僕は、はっきり彼に打ち明けていた。そこで最後に、僕たちは、僕のパリ滞在中、いっそ同居しようということになり、幸い、経済状態の点では、僕の方が、いくらか彼よりもましだというところから、ちょうどフォブール・サン・ジェルマンの一郭、奥まって、ひどくうらさびれた界隈に、なんでも迷信のため、すっかり長く住み棄てられ、今ではもう危うく倒れそうになっている、古ぼけた異様な邸が、一軒見つかったのを、もとより迷信などは、僕たち問うところでない、早速、彼の了解をえて、僕が借り、さらにわれわれ二人に共通な、あのむしろ奇怪ともいうべき沈鬱さ、それにふさわしいように、家具調度類などを、買い整えることにした。

もしこの家での、僕たち毎日の生活が、世間にでも知れようものなら、おそらくそれは、狂人――といっても、全く無害な狂人ではあったが――としか思えなかったろう。

世間からは、完全に隔絶した生活だった。訪問客などは、むろん許さない。第一、今までの友人たちに対してさえ、僕は、この隠れ家のことは、特に入念に秘密にしておいたし、デュパン君に至っては、もうパリでも、完全にその消息を絶って、久しいものだった。つまり、僕たち二人は、完全に二人だけの世界に生きていたのだった。

ところで、これは、友人デュパン君の、全く気紛れだと思うのだが(つまり、そうとしか思いようがないのだ)、彼は、夜そのもののために、夜を愛するという、妖しい魅惑に憑かれていた。そしてこの奇癖に関してもまた、僕は、他の場合と同様、黙々として同化されてゆき、彼のこの奇怪な気紛れに、てもなく易々と、かぶれてしまったのだった。この烏羽玉の闇の女神は、もとより四六時中、僕たちとともにいるわけでない。だが、僕たちは、いわば人為的に、いつわりの夜を、つくり出すことができる。つまり、朝がかすかに白みはじめると、家の重い鎧扉という鎧扉は、すべて閉じてしまい、かわりに、蠟燭を二本ともす。強い香料を入れたこの燭火《ともしび》が、ただ妖しい、かすかな光を放つだけだ。そして、この灯をたよりに、読んだり、書いたり、話に耽ったり、間断ない、夢のような魂の生活が、はじまるのだ。と、やがてついに、真実の夜の到来を告げる、鐘が鳴る。と、今度は、僕たち、手を携えて、夜の街へ出るのだ。昼間の話の続きをすることもあれば、夜おそくまで、ただ当途《あてど》もなく、遠歩きする場合もあるが、とにかくそんな風にして、僕たちは、あの大都会の奇怪な光と影の中に、ただ静かな観察が与えてくれる、無限の精神的興奮を、求めていたのだった。

そうした折々に、いつも僕が、思わず舌を巻いたのは、まことにデュパン君独特の分析能力だった。(もっとも、彼の豊富な想像力からして、それくらいのことは、十分期待してはいたのだが。)それにまた彼は、その能力を、ひけらかすというのではないにしても――ひどく応用したがっているらしいことは、事実だった。現に、そのことから来る喜びを、彼は、はっきり僕に告白したことがある。彼から見れば、たいていの人間は、いわば胸に窓をあけているのも同然だと、例の低い含み笑いを浮べながら、僕に向って高言したこともある。しかも、そうした高言をしたあとには、いつも決って、現に僕の胸の中を、実際完全に見抜いているという、いわば有無を言わせぬ、驚くべき証拠を、見せてくれるのだ。そうした時の彼の様子は、まるで氷のように、非人間的であり、その眼は、虚《うつろ》のように無表情になる。一方、ふだんは豊かな次中音《テナー》の声が、もしその発音の落着きと明晰さとがなかったなら、おそらく癇癪でも起しているのではないかと、思われるような、途轍もない高音に変るのだ。こうした興奮状態に入った彼を見ながら、よく僕は、あの魂の二重性ということを説いた、古代の哲学説に考え及び、いわば二人デュパン――つまり、創造的デュパンと、分析的デュパンとだ――とでもいうようなことまで空想してひどく興味を覚えたものだった。

もっとも、こう言ったからとて、なにか僕が、神秘を語ったり、ロマンスを物しているなどと思われては、困る。つまり以上、僕がこのフランス人について述べたことは、彼にとっては、単にある興奮——というよりは、おそらく一種病的な叡知から、生れる結果にすぎなかったのだ。だが、それはとにかくとして、そうした状態に入った時の彼の言葉の鋭さは、むしろ具体的な例を挙げた方が、一番わかりいいだろう。

ある晩のこと、僕たち二人は、パレェ・ロワイヤールにほど近い、ある汚い、長い通りを、ぶらついていた。どうやら二人とも、なにか考え事でもあるらしく、少くとも十五分ばかりというものは、どちらからも口を利かなかった。が、その時だった、突然デュパン君が言い出したのだ。

「その通り、たしかに、あれじゃ寸が足りん。やっぱり寄席《テアトル・デ・ヴァリエテ》の方が向くだろうよ。」

「そうだ、そうなんだよ。」と、僕も、思わず相槌を打ってしまい(なにしろすっかり、考え込んでいた際とて)、はじめのうちは、彼の言葉が、ちょうどその時、僕の考えていたことに対する、まさに打てば響くとでもいった応答であったという、その奇妙な事実さえ、実は気がつかなかったのだ。それだけに、すぐ次の瞬間、われに返ってみて、実にどうも驚いた。

「ねえ、デュパン君、」と、僕は、ひどく改まって、言った。「どうも僕には、わからんのだが、いや、もうすっかり白状するよ、僕は、実に驚いた。ちょっと僕の眼、僕の耳を信じることができんのだがねえ。いったい君には、どうしてわかった、僕が考えていた——?」と、そこで、僕は、ちょっと言葉を切ったが、つまりは、僕が、誰のことを考えているか、果して本当にわかっているのか、それがはっきり、確かめたかったからだった。

「——シャンティリのことだろう。それよりも、なぜ黙った? あの小男じゃ、とうてい悲劇向きじゃないと、そんなことを考えてたんだろう?」

まさに僕の考えていた、そのものズバリだった。シャンティリというのは、もとサン・ドニ街で、靴屋をしていた男だが、すっかり芝居狂いになり、クレビヨンの悲劇「クセルクセス」の主人公役を演《や》ってのけ、お蔭で、さんざんの悪評を受けたところだった。

「お願いだから、聞かしてくれないか、」と、僕は、思わず、声が高くなった。「どうして、そんなに、僕の心の中が測れるのか、その方法だよ、——なければ、別だがね。」いや、実際恥ずかしくて、ちょっと言えないほど、度胆を抜かれていたのだった。

「つまり、あの果物屋だよ、君にね、あの靴直し君じゃ、とてもクセルクセスはおろか、そうしたどんな役にだって《エット・イド・ゲーヌス・オムネ》、寸が足りないと、結論させたのはさ。」

「果物屋？——こいつは、驚いたねえ、——果物屋なんて、僕は、一人も知らんねえ。」

「いや、僕らが、この通りへ入った時にね、君に突き当った男、あれだよ——さあ、十五分ほども前かしら。」

なるほど、言われてみれば、思い出した。僕たちが、C——街から、今この通りへとかかった時に、大きな林檎籠を頭に載せた果物屋が、むろん過ってではあろうが、危うく僕を、突き倒しそうにして行った。だが、それにしても、それが、シャンティリと、なんの関係があるというのだろう、僕には、さっぱりわからなかった。

デュパン君の様子には、法螺《シャルラタヌリ》などという気配は、微塵もない。「じゃ、一つ説明しよう」と、彼は言った。「はっきりわかるように、そうだ、まず最初に、いまさっき僕が君に話しかけた時からね、問題のあの果物屋と衝突した時まで、なにを君が考えたか、一つ逆に遡って、言ってみようか？　まず比較的大きな繋りだけを、挙げてみるとだねえ——シャンティリ、オリオン、ニコルズ博士、エピクロス、截石法《ステレオトミー》、通りの鋪石、そして最後に、果物屋だねえ。」

なるほど考えてみると、人間一生のある時期になると、自分のある考えが、どうしてそういう結論に到達したか、その過程を遡るのに、興味を感じないものは稀だろう。たしかに、それは、興味満点の仕事であり、おそらくはじめてやってみたものは、その出発点と到着点との間に、ほとんど無限大ともいいたい距離と矛盾とが、存在することに、むしろ一驚するに相違ない。だとすると、僕がこのデュパン君の言葉を聞き、しかも、それがすべて、まさに図星であることを認めざるをえなかったとすれば、その時の僕の驚き、それがいかに大きかったかは、当然であろう。彼は、言葉をつづけて、言う。

「僕の記憶にして、誤りなければだねえ、僕らが、C——街をあとにしようとしていた時には、たしか馬の話をしていたはずだ。それが、僕らの最後の話題だった。ところで、ちょうど往来を横切ってね、この通りに入った時だったねえ、大きな林檎籠を頭に載せた果物屋が、大急ぎで、僕らの傍を擦れ違って行き、ちょうど歩道の修繕をしているところだったが、そこの鋪装用石材を集めて積んである上に、君を突き飛ばして行った。君は、その崩れた石塊の一つを踏んでね、足を滑らせて、ちょっと踵のあたりを挫いたらしい。ひどく不機嫌な、恐い顔をして、なにか一言二言呟いたが、チラと積み石の方を見るとね、またそのまま無言で、歩き出した。僕は、なにも特別に、君の動作を見ていたわけじゃない。だが、どうも近頃の僕はね、なんでもとにかく、観察しないではいられなくなってるんだねえ。

「そこで、君はだ、それからも、じっと地面を見つめたまま、いかにも忌々しげに、鋪道の穴ぼこや、轍《わだち》の凹みなどを眺めながら、歩いていたね。(それで僕には、君が、まだ石のことを考えていることが、わかった)。ところが、そのうちにね、ほら、ラマルティーヌという小路へ来たろう？　あの路は、いわば試験的にね、石板を少しずつ重ね合せて、そいつを鋲留めにした、特別の鋪装になっているんだよ、ところが、そこへ来るとね、君の顔が、急に晴れやかになった、そして、なにかちょっと君の唇が動いた。で、僕は、すぐにね、ははァ、これは、「截石法《ステレオトミー》」という言葉を呟いたのだな、と思った。非常に気障な言葉だがね、あの式の鋪装法を、そんな風に呼ぶ、それを、君が呟いたのだな、と思ったのさ。そこで次はね、君が、この「截石法《ステレオトミー》」という言葉を考えたとするとだねえ、これは、どうしても序でに、「原子《アトミー》」ということ、次いでは、エピクロスの哲学説にまで、思い及んだに相違ない。だって、つい先日もだねえ、僕らは、この問題を論じ合ってさ、その時、僕は言ったろう？　この偉大なギリシア哲学者が、ただ漠然と臆測したことがだよ、今や最近の宇宙星雲起原説によって、はっきり確認を与えられたんだってことをね。そうなれば、もう君はさ、きっとあのオリオン星座の大星雲を、見上げないではいられないはずだ、と思ったねえ。たしかに、そう期待した。ところが、果して、君は、空を仰いだ。で、僕は、これは、ちゃんと君の考えの跡を、間違いなく辿って来ているなと、大いに自信を得たね。ところでだよ、昨日の『ミュゼエ』に出た、あのシャンティリに対する辛辣な悪口だが、あれの筆者がね、悲劇役を演るというんで、あの靴直し先生が、わざわざ名前まで変えたことね、そいつを、さんざんにやっつけたところでさ、僕らがたびたび話題にした、例のラテン詩の一行を、引いているんだよ。ほら、あの、

『首《はじめ》の文字は、昔の音を失えり』

っていう、あれさ。もともとこの一行はね、今のオリオン Orion って言葉は、昔はウリオン Urion と書いたもんだってことを言ってるんだが、それは、いつか話したっけねえ。ところで、この説明に関連した、ある辛辣な連想からしてね、絶対君が、これを忘れてるはずはないと思った。してみると、君がだねえ、きっとオリオンとシャンティリという二つの観念を、結びつけて考えるにちがいないことも、明瞭だった。しかも、果してその通りだったということはね、ふと君の唇に浮んだ、微笑の性質でわかった。あの憐れな靴直し先生が、見事に槍玉に上げられるところを、君は、考えてたんだねえ。現に、そこまではね、君は、ずっと前屈みの姿勢で歩いていたが、あの時、急にぐっと、一ぱいに反身になった。で、てっきりこいつは、シャンティリのあのチビ姿を、考えたんだ

な、と思った。その時だったんだよ、君の瞑想を遮ってさ、あれじゃ、どうも寸が足りん——むろんシャンティリのことだぜ——寄席の方が向くだろうって、声をかけたのはね。」

それから、間もなくのことだった、たまたま『ギャゼット・デ・トリビュノー』の夕刊を読んでいると、次のような記事が僕らの注意を惹いた。

「奇怪きわまる殺人。——今暁三時頃、サン・ロック区《カルティエ》の市民たちは、突如として起った、恐ろしい連続的悲鳴によって、夢を破られた。悲鳴は、モルグ街のある一軒、レスパネェ夫人母娘の居住する家屋の四階から、起ったものらしかった。通常の方法では、戸口が開かないので、多少おくれはしたが、表戸を鉄挺《かなてこ》でこじ開け、近隣の者八、九名が、二名の警官とともに、とびこんだ。その時には、悲鳴はすでにやんでいたが、ちょうど一同が、一階の階段を駆け上っていた時、なにか猛烈に争うらしい、烈しい叫びが、二、三回、はっきりと頭上の方にあたって、聞き取れた。二つ目の踊り場に達した時には、この叫びもまたやんでしまい、あたりは、完全に静かになった。一同は、手分けして、部屋から部屋へとしらみつぶしに探したが、ちょうど四階の、大きな奥の部屋に達した時（この部屋の扉も、実は中から鍵がかかっていたので、無理にこじ開けて入ったのだが）、人々は、驚きというよりも、むしろ戦慄にみちた光景に、ぶつかったのであった。

「家具調度類は、メチャメチャに壊されて、あたり一面に四散しているし、――部屋の中は、足の踏み場もない有様であった。寝台は、一つしかなかったが、それも寝具は、引き剝がして、部屋の真中に、投《ほう》り出されていた。椅子の上には、血塗《ちまみ》れの剃刀が、一つ落ちている。暖炉棚には、これも血塗れになった、長い、房々とした、白髪混りの人間の毛髪が、二握りばかり、根こそぎに引き抜いたものらしい。床の上には、ナポレオン金貨が四枚、黄玉の耳輪が一個、大きな銀の匙が三個、洋銀《メタル・ダルジェ》の小匙が三個、ほかに金貨で、約四千フラン入りの袋が二個、発見された。一隅に置かれた大机の抽斗《ひきだし》は、開かれて、品物はまだ多く残っていたが、明らかに、掠奪されているらしかった。小さな鉄の金庫は、寝具(寝台ではない)の下から発見されたが、これも開けられて、鍵は、蓋にさしたままになっていた。中味は、すっかり失くなって、一、三通の古手紙と、そのほかつまらない書物が、残っているだけであった。

「レスパネェ夫人の姿は、どこにも見えなかった。だが、暖炉に、ひどく夥しい煤が見られたので、煙突の中を探すと、(これはまた無惨にも)娘の方の死体が、逆様になって引き出されてきた。この姿勢のままで、狭い隙間を、ずいぶんと奥深く、無理に押し込まれていたのだった。身体は、まだすっかり温味が残っていて、調べてみると、明らかに、暴力でもって押し上げられ、そのまま手を離されたために出来たらしい、夥しい擦過傷があった。顔には、多数のひどい掻き傷があり、咽喉には、黒い打撲《うちみ》と、あたかも絞殺されでもしたような、深い爪痕とが、印されていた。

「屋内は、残る隈なく捜索したが、これ以上、別になんの発見もなく、一同、裏側の小さな鋪装中庭へ、降りてみると、夫人の死体があった。しかも咽喉は、完全に掻き切られていて、死体を持ち上げる拍子に、コロリと落ちてしまった。頭も、胴も、無惨に切り刻まれ、胴体の如きは、ほとんど人体とは見えなかった。

「この戦慄すべき殺人に関しては、目下のところ、何一つ手掛りは、あがっていないもののようである。」

翌日の新聞は、さらに、次のような詳報を、伝えていた。

「モルグ街の惨劇。この近来稀なる兇悪事件(この事件《アフェール》という言葉が、フランス新聞では、まだわが国のように、なんでもない言葉になってしまっていなかったのだ)に関しては、多数の人物が、取調べを受けたが、いまだになんら解決の曙光は、見られないようだ。今日までに獲られた証言のすべては、次の通りである。

「洗濯女ポーリン・デュブールの証言。証人は、被害者両人の洗濯を引き受けていたので、この三年間、被害者を知っていた。母娘の仲は、よかったらしく、——至極睦み合っていた。金払いも、至ってよかった。母娘たちの生活や、収入については、なにも知らない。レスパネェ夫人の方は、生活のために、売卜をやっていたらしく、小金を貯めているとの評判もあった。洗濯物を取りに行ったり、届けに行ったりしたが、そんな時、母娘以外の人間に会ったことは、絶えてない。別に雇人を使っている形跡はなかった。四階だけを除いて、どこにも、家具調度の備えつけは、一切なかったらしい。

「タバコ屋ピエール・モローの証言。レスパネェ夫人は、四年間近くにわたって、証人からタバコ並に嗅タバコを、小量ずつ買っていた。証人は、この土地の生れで、以来ずっと、ここに住んでいる。被害者母娘は、すでに六年間以上も、惨劇の行われた家に、住んでいた。前の居住者というのは、宝石商で、彼は、階上の部屋を、いろんな人間に、又貸ししていたが、家は、レスパネェ夫人の持家であったので、彼女は、借家人の、この不法又貸しを嫌い、ついに、自身移り住んで、以後は、一切部屋貸しは断っていた。二人は、全く交際を避けた暮しをしていたが——金は持っている、との評判であった。近所の噂では、レスパネェ夫人は、卜《うらな》いをするということだったが、——証人は、別に信じなかった。母娘と、ほかには一、二度、運送屋が、また八、九度、医者が、訪ねるのを見かけた以外、たえて出入りの人間を、見たことはない。

「そのほか、近隣の者多数から、大体同様の証言があったが、とにかく頻繁に、この家を訪れたというような人間の話は、一つとして出なかった。果して母娘の者に、生きた親戚があるのか、ないのか、それすらわからない。表の窓も、鎧扉が開いていたことは、ほとんどないし、裏側の窓に至っては、四階の大きな奥の間を除いては、全く閉ったきりだった。家は、よい家で――さして古いとは言えなかった。

「憲兵イシドール・ミュゼエの証言。午前三時頃、証人は訴えによって、現場に行ってみると、すでに二、三十人の人間が、表口に集まって、屋内に入ろうとしていた。結局銃剣(鉄挺《かなてこ》にあらず)でもって、こじ開けた。扉は、二枚戸、あるいは畳み戸と呼ばれるあれで、上にも下にも、閂《かんぬき》止めはなかったので、なんの造作もなく開いた。扉が開くまで、悲鳴はつづいていたが――扉の開くのとともに、ピタリと止んだ。短い、急な叫びというよりは、高く、長く引張った、一人ないし一人以上の人間の、烈しい苦悶の悲鳴を聞いた。証人が先頭になって、階上へ上った。第一の踊り場まで来ると、声高い、烈しく争うような声が、二つ聞えた――一つは、粗々しい、今一つは、さらに鋭い――非常に異様な声だった。前の方は、いくらかはっきり言葉もわかり、それは、どうやらフランス人の声だった。但し、女の声でないことは、疑いない。わかった言葉は、『畜生《サクレ》!』というのと、『糞ッ《ディアーブル》!』という言葉だった。鋭い方は、外国人の声だが、男の声か、女の声か、それがどうも確かでない。言った内容は、わからなかったが、どうも言葉は、スペイン語らしかった。本証人が述べた、室内の状況並に死体の状態については、昨日の本紙が報じた通り。

「隣家の銀細工商アンリ・デュヴァルの証言。証人は、最初に屋内に入った一人であるが、大体において、ミュゼエの証言を確認する。証人等は、屋内に入るや否や、ふたたび扉を閉めた。深夜にもかかわらず、たちまち雲集してきた群集を、閉め出すためだった。鋭い方の声は、イタリア語であったと、証人は考える。フランス語でないことは、たしかであるが、果して男の声であったか、どうか、それは、確実でない。女であったかもしれぬ。証人は、イタリア語を知らず、言葉も、一語も聞きとれなかったが、音調抑揚からして、イタリア語だったろうと、確信する。被害者は、両人とも知合いで、言葉を交したことも、たびたびある。だから、甲高い方が、被害者たちの声でないことは、確言できる。

「料理店主オーデンハイマーの証言。本証人は、自ら証言を名乗り出たものであるが、フランス語を解せず、訊問は、通訳を介して行われた。証人は、アムステルダムの生れ。あたかも被害者宅の前を通りかかった時に、悲鳴を聞いた。数分間――おそらく十分間ばかりもつづいたか。長い、高い叫びで、――烈しい恐怖をそそるものであった。同じく、屋内に入ったものの一人だが、ただ一点を除いては、すべて上記の証言を確認した。

一点とは、甲高い声は、男の――しかもフランス人の声だと確言するのである。もっとも、言葉はわからなかった。高くて、早口で――高低の変化がひどく――どうやら怒りばかりではない、恐怖の叫びとも聞きとれた。いやな、――鋭いというよりも、いやな声だった。鋭いというのは、あたるまい。粗々しい声の方は、幾度も繰返し、『畜生《サクレ》！』といい、『糞ッ《ディアーブル》！』といい、また一度は、『こらッ《モン・ディユ》！』とも叫んだ。

「ドロレーヌ街ミニョオ(父子)銀行の頭取、銀行家ジュール・ミニョオ(父)の証言。レスパネェ夫人には多少の資産があり、(八年前の)××年春以来、彼の銀行とも取引きをはじめていた。預入れは、小額ずつ、度々であったが、死の二日前まで、一度として払出しをしたことがなかったのに、その日にはじめて、彼女自身で来て、四千フランを引き出して行った。金は、全部金貨で支払われ、行員の一人が、それを持って、同家まで届けた。

「ミニョオ父子銀行の行員アドルフ・ル・ボンの証言。問題の日は、正午頃、レスパネェ夫人に同行して、二つの袋に納めた四千フランを、同家へ届けた。表戸が開くと、レスパネェ嬢が顔を出して、彼の手から、一方の袋を受け取り、今一つの方は、夫人に手渡した。そのまま彼は辞去したが、その時通りには、誰も人影はなかった。横町になっていて――ひどく淋しいところである。

「洋服屋ウィリアム・バードの証言。屋内へ飛びこんで行った一人である。イギリス人で、この二年間、パリに住んでいる。先頭に立って、階段を上って行った一人だが、問題の言い争う声は、たしかに聞いた。粗い声の方は、フランス人の声で、幾つか判った言葉もあったが、みんなは今思い出せない。もっとも、『畜生《サクレ》！』といったのと、『こらッ《モン・ディユ》！』という二つの言葉だけは、はっきり聞いた。同時に、なにか数人くらいの人間が、揉み合って、引掻き合いでもしているかのような、物音がした。甲高い方の声は、ひどく高声で——粗い声の方よりは、一段と高かった。イギリス人の声でないことは、確かで、どうやら、ドイツ人ではなかったろうか。あるいは、女の声であったかもしれない。証人は、ドイツ語を解しないのである。

「上記四人の証人は、さらに当時の記憶を、思い起してみて、次のように、証言した。レスパネェ嬢の死体が、発見された部屋の扉は、一同が上って行った時、内側から、鍵がかかっていた。その時は、すでに完全に静まり返って、——呻き声もなにも、一切物音はしなかった。扉をこじ開けてみた時にも、誰も見えなかった。表の部屋も、裏の部屋も、窓はすべて閉って、内側から、締りがしてあった。二つの部屋の仕切扉は、これは閉っていたが、鍵は、かかっていなかった。表の部屋から、廊下へ出る扉口は、錠がおりて、鍵は、内側にささっていた。四階の廊下の突き当り、表に向いた、小さな部屋は、開いて、扉が、少し開け放しになっていた。部屋の中は、古寝台や古箱など、ガラクタで一ぱいだった。これらも、丹念に取り除けて調べてみた。家中隈なく入念な捜査をしなかった場所はない。煙突の中も、きれいに掃除した。家は、屋根部屋つきの四階家であり、屋根裏の引窓は、しっかり釘づけにされ、ここ何年間というもの、開けられた形跡は、全くなかった。言い争いの声を聞いてから、部屋の扉を押し破って入るまでの時間は、証人によって、陳述は様々だが、あるものは、精々三分といい、あるものは、五分という。扉を開けるのに、手間がかかったのだ。

「葬儀屋アルフォンソ・ガルシオの証言。証人は、モルグ街の居住者、スペイン生れであるが、当日は、屋内へ入って行った一人。但し、階上へは上らなかった。ひどく神経質で、興奮の及ぼす影響を、惧れたからである。言い争いの声は、聞いた。粗い方の声は、フランス人だったが、言葉は、よくわからなかった。甲高い方は、イギリス人――たしかに、これは間違いない。英語はわからないが、抑揚で、それと知れた。

「菓子商アルベルト・モンターニの証言。真先に上って行った一人である。問題の声は、聞いた。粗い方はフランス人。いくらかわかったが、なにか訓戒でも、与えているような調子だった。甲高い方の言葉は、全然わからない。ひどく早口で、高低もひどく乱れていた。どうもロシア人らしい。全般については、他の証人たちの言葉を認めた。

証人は、イタリア人で、ロシア人と話したことはない。

「なお数人の証人は、ふたたび呼び出されて、それぞれ、ここで証言した。四階各部屋の煙突の中は、とても狭くて、どれも人間の通れるはずはない。『掃除』といっても、それは、あの煙突掃除人の使う円筒形のブラシ、あれで、家中の煙突を、上下に通すだけである。といって、一同が、階段を上って行った間に、誰か裏から降りたと考えても、そんな裏口は、絶対にない。レスパネェ嬢の死体は、煙突の中に、それこそ楔《くさび》のように、かたく挟まっていたので、四、五人が力を合せて、やっと引き下せたくらいだった。

「医師ポール・デュマの証言。ちょうど夜明け頃、証人は、呼ばれて検屍に行った。行ってみると、二人の死体は、レスパネェ嬢の死体が発見されたという部屋の、寝台のズックの上に寝かされていた。娘の方の死体は、ひどく撲身《うちみ》ができて、皮膚が擦り剝けていた。煙突の中へ、無理に押し込まれていたとすれば、これは、十分説明はついた。咽喉にも、ひどい擦過の痕があり、顎のすぐ下には、明らかに爪の痕と思える、幾つかの鉛色の斑点とともに、幾筋か、深い掻き傷ができていた。顔面は、見るも凄惨なほど、色が変り、眼球は、飛び出している。舌は、半分嚙み切られており、ミズオチのところには、膝でも強く押しつけたものらしい、大きな撲身ができていた。彼の意見では、レスパネェ嬢は、誰か一人ないし数人の犯人によって、絞殺されたものに違いない、ということだった。母親の方の死骸は、見るも無惨に、斬り苛《さいな》まれていた。右脚、右腕の骨は、悉く多少とも砕けてしまっており、左脛骨並に左肋骨は、裂け折れて、これも全身、物凄いまでの打撲傷を受けて、変色していた。どんな風にして、こんな傷が加えられたものか、わからなかった。重い木の棍棒か、太い鉄棒、――たとえば椅子か――それとも他のなにか、大きな、重い鈍器類を、もしひどく剛力な男がいて、振り廻したものとすれば、あるいは、こんな傷ができたかもしれない。だが、女の力では、たとえどんな武器を使ったにしても、とうていこんな傷ができるはずがない。夫人の頭部は、証人が見た時には、完全に胴から離れており、これも無惨に、砕かれていた。咽喉は、明らかに、なにか非常に鋭利な刃物――多分剃刀ででも、切ったのであろう。

「外科医アレキサンドル・エティエンヌも呼ばれて、デュマと死体を調べたが、デュマの証言並に意見を、裏書きした。

「その他まだ数人のものが、調べ上げられたが、これ以上、重要なことは、なにも引き出せなかった。これほど奇怪な、しかもあらゆる点で、わからない殺人事件――もっともそれは、事実殺人だったとしての話だが――は、パリでも、まことに前代未聞のことであった。警察も、完全に音をあげた、――この種事件としては、まことに珍しいことである。まだ手掛りらしいものは、全然見当らない。」

その日の夕刊は、サン・ロック区では、今なお非常な興奮が、おさまらない有様で、――問題の現場は、さらに改めて入念に捜査され、証人の調べも、もう一度行われたが、なんの効果もなかった、と報じていた。もっとも最後には、アドルフ・ル・ボンが、既報の事実以外、彼を犯人とするような根拠は、なに一つないにもかかわらず、逮捕、収容された、と付記してあった。

デュパン君は、この事件の進行に、妙に興味を感じているらしかった。なにも、口に出しては言わなかったが、少くとも様子から見て、僕はそう察したのだ。この事件に関して、彼がはじめて僕の見解を求めたのは、ル・ボンが収容されたという報道が、あってからだった。

僕としては、今度の事件が、全く謎の怪事件であることについては、僕も、全パリと同意見だ、という以外になかった。犯人が突きとめられそうな方法は、僕には全くわからなかった。

「こんな上っ面な捜査で、方法など判断しては駄目だ、」と、デュパン君は言った。「俊敏をもって鳴るパリの警察もだねえ、ただ巧妙なというだけで、それ以上のものは、なにもない。その時その時、行き当りばったりの方法以外、捜査に、かいもく方法論というものがないのだな。なるほど、恐ろしく捜査手段なるものを、並べ立ててはいるよ、だが、不幸にしてさ、多くの場合、かんじん当面の目的には、さっぱり役に立たたん。それで思い出すのはね、音楽がもっとよく聞けるようにとね、部屋着《ローブ・ド・シャンブル》を持って来させたという、あのジュールダン先生の例の話だよ。なるほど、彼等の挙げる成績は、しばしば実にすばらしいかもしれん、だが、たいていそれは、ただ小まめに、労を惜しまないで、動いたからにすぎないのだ。だからさ、それが駄目になれば、捜査計画そのものもまた、駄目になる。たとえばヴィドックだ、勘は好いし、根気も強かった。だが、無学の智恵の悲しさ、調査に熱心であればあるほど、かえってそれで、いつも失敗していたわけさ。つまり対象を、鼻の先へ持って来すぎてね、かえって見えなくしてしまっているんだねえ。おそらく局部の一点二点はね、人並以上に、はっきり見えたろうが、お蔭で、必ず問題全体を見失ってしまう。つまり物には、考えすぎということがあるんだねえ。真理は、いつも井戸の底にあるわけじゃない。むしろより大切な知識というものはね、常に表面的なものだ、と僕は信じている。深さは、僕らがその中で、真理を探し求める谿間そのものにあるんだってね、真理が見出される山巓には、深さなんてものは、ちっともありゃしない。この種の誤謬の典型はね、あの肉眼による、天体の観測に見られるんだ。星というものは、横眼で見る——網膜の外側を、星の方に向けて、斜に見る(つまり、内側よりは、外側の方が、より弱い光を感じるわけさ、ね)、で、つまりそれが、星を一番はっきり見る法、――光が一番よく見える方法であり、――眼を真正面に向けるに従って、光は、かえって弱まるのだ。むろんその方が、光の入って来る量こそ、なるほど大きいが、光を捕える能力では、はるかに前の方法が、上なのだ。深刻さも、程度を越すと、かえって考えを惑わし、弱くするのだな。いかにあの金星だとて、あまりに直接《じか》に、あまりに長く、あまりにジロジロと見つめてばかりいてみたまえ、かえって大空から、消えてしまわないとも限らないからね。

「ところで、今度の事件だがね、これは、僕らの見解を纏める前に、一つ自分たちで、調べてみようじゃないか。僕らは調べることが、一つの楽しみなんだからねえ。」（僕は、ちょっとおかしな言葉の使い方だとは思ったが、なにも言わなかった。）「それに、あのル・ボンには、僕は、前にちょっと世話になったことがある。その恩は、忘れてないからね。つまり、現場を一つ、僕ら自身の眼で見てみようじゃないか。幸い、僕は、警視総監のG――を知っている。必要な許可を得ることは、造作ないはずだ。」

許可は得られた。僕らは、すぐその足で、モルグ街へと出かけて行った。街は、リシュリウ街とサン・ロック街との間になった、あのよくあるみすぼらしい往還の一つだった。僕らの住居からは、非常に離れているので、着いた時は、もう午後も大分廻っていた。家は、すぐ見つかった。なんということもない漠然とした好奇心から、まだ道の向側には、人だかりがして、鎧扉の閉った窓を見上げていたからである。パリによくある、ごく普通の家だった。玄関口があって、その横には、ガラス張りの門番小屋があった。窓は引き戸になっていて、それに「門番詰所」という指示が書いてある。家へ入る前に、僕らは、一応通り過して、小路へ入り、さらに曲って、ちょうど建物の裏手へ出た。――その間も、デュパン君は、件《くだん》の家といわず、あたり近所まで、なんの目的か、僕にはむろんわからなかったが、実に丹念な注意をもって調べていた。

それから取って返して、僕らは、ふたたび家の前面へ戻り、ベルを鳴らし、証明書を見せると、監視人はすぐ通してくれた。階段を上り――レスパネェ嬢の死体が発見されたという部屋、そしてその時も、まだ二人の死体が、そのまま置かれている部屋へ入って行った。部屋の中の混乱は、この種事件の常で、現場のまま残されている。もっともギャゼット・デ・トリビュノー紙が報じていた以外に、新しいことは、なにもなかった。デュパン君は、被害者たちの死体はいうまでもない、一つ一つ、実に丁寧に調べていった。次には、他の部屋部屋も調べ、中庭へも出てみた。その間も憲兵が、一人たえず付き添っているのだ。調査は、暗くなるまでかかったが、そこで僕たちは、暇を告げた。そして帰る途中、デュパン君は、ふとある日刊新聞社へ立ち寄った。

前にも言ったように、デュパン君の気紛れというのは、まことに一通りや二通りのものではないので、たいていは、Je les ménageais――どうもちょうどよい英語がないのだが、気儘にさせておくことにしていた。でその時も、どうしたお天気か、彼は、そのまま翌日の正午頃まで、その殺人事件については、頑として一言も語らなかった。ところがその時、突然、僕に訊いた、あの凄惨な現場に、君はなにか変った妙な点を認めなかったかと。

「変った妙なこと」という、特にこの言葉に力を入れた彼の様子には、なにか理由はわからないが、とにかく僕を、ゾッとさせるようなものがあった。

「いや、別に変ったことといって、なにも、」と、僕は答えた。「少くとも、新聞に出ていた以外には、なにもないね。」

「いや、あのギャゼットの記事はね、どうも今度の事件の異常な凄惨さということが、まだよくわかっていないように、思えるのだ。もっとも、あんな新聞の下らない見解などは、どうでもよい。ところで、この事件というのはだねえ、当然解決は、きわめて容易だとしか思えないのだが、その容易だということ、――つまり、事件が、きわめて異常だということなのだが、――そのために、かえって解決不可能であるかのように、考えられているらしく、僕には思えるのだねえ。殺人そのものよりも――むしろ何故このような兇悪さを、発揮しなければならなかったか、その動機が、ちょっと考えられないためにだねえ、警察は、すっかり途惑いしているのだ。加えるに、なにか言い争う声が聞えたという事実と、それでいて階上には、レスパネェ嬢の死体以外には、誰一人、人間の姿は、見えなかったということ、しかも、上って行った人々の眼に触れることなしには、屋外へ出る途はないという、これらの事実をだね、どうにも巧く結びつけることができないために、これも困惑の種になっているんだよ。部屋の中の、掻き乱されていたこと、死体が、煙突の中に、頭を下に、逆様に押し込まれていたこと、それからさらに、母親の死体がね、メチャメチャに斬り苛まれていたこと、これらの事実がね、上に述べた事情や、それから改めて言う必要もあるまいが、その他の諸事情と相俟ってさ、平生は俊敏を誇る当局の連中をさえ、完全に途惑わせ、すっかり能力を麻痺させているんだな。いわばね、ただ珍しいということと、非常に難解だということとを、混同してしまい、とんでもない、といって、実は珍しくもなんともないある過誤に、自ら陥っているわけさ。ところがね、人間の理性がだよ、もし物の真相を求めて、模索してゆくとすればね、それは、普通ありふれた事情から逸脱した点こそ、まさに手掛りでなければならないんだねえ。だから、僕等が今やっているような捜査にしてもだ、問題になるのは、『何が起ったか？』ということよりもね、むしろ『かつて起ったことのない、どんなことが、起ったか？』ということなんだ。今にね、僕は、わけなく、この謎を解いて見せる、いや、もうすでに解いてしまっているのだがね、つまり警察の眼にだよ、一見解決不可能と見えれば、見えるだけね、一そう実は、容易なわけなんだ。」

僕は、驚いて、無言のまま、彼を見つめていた。

「僕はね、いまある人間を待っているんだ、」と、彼は、部屋の扉の方を眺めながら、言葉をつづけた。「で、その男というのはね、そうだ、おそらくこの犯行の下手人ではないかもしれないが、ある程度、この犯行に関係あることは、間違いない。もっともね、この犯罪の最悪の部分には、多分関係ないだろうな。そう思って、万々《ばんばん》謬りはないつもりだ。というのはね、僕は、その仮定の上に立って、この謎全体の解読をねらっているんだよ。その男はね、もう今にも――この部屋へ、――現われるだろうと思う。むろん、ひょっとすると、来ないかもしれない。だが、まず大体は、来るはずだ。そこで、もし来たならばだねえ、こいつは、ぜひとも引き留めておかなくてはならぬ。さあ、君、ピストルだ、いざ必要とあらば、使い方は、われわれ、ちゃんとわかってるはずだ。」

僕は、ほとんどもう夢見心地で、別に彼の言葉を信じたわけでもないのに、思わず、ピストルを手にしていた。その間も、デュパン君は、依然として、独語のように、ひとり喋りつづけている。こんな時に、彼が、一種の忘我状態に入ることは、前にも言った。一応は、この僕に話しかけているのだが、その声は、特に大きいとは言えぬくせに、まるで遠くの人にでも話しかける時にするような、独特の抑揚を帯びている。眼は、まるで表情というものを失って、ただじっと、壁の上を見つめているのだった。

「ところで、みんなが、階段で聞いたという、あの言い争うような叫びだがね、それが、殺された女二人の声でないことは、証言によって、完全に証明されている。だからね、母親の方が、まず娘を殺しておいて、それから自殺したんじゃないかという疑いはすっかり晴れたわけだね。僕はね、考え方の順序として、この点を言っておきたいのだ。なぜならばね、レスパネェ夫人の力じゃ、とうてい娘の死体を、あんな風に、煙突の中へ押し込むことは、できなかろうしね、母親自身の死体の傷もまた、自殺などという考え方とは、とうてい相容れない。してみるとだねえ、殺したのは、第三者だ。そしてこの第三の声こそが、言い争いと聞かれた、あの声に相違ない。さて、そこでだよ、次はその声だが、――さしあたり、それについての証言には、用はない、――ただ問題はだね、あの証言の中の、ある特別な一点だけさ。ところで、君はね、あの証言の中に、一つ変った妙な点があるのに、気がつかなかったか?」

僕は、言った。僕にも気がついたことは、粗い方の声は、フランス人らしかったということ、それには、すべての証人が、一致しているにもかかわらず、他の一方の、甲高い、いや、ある証人などは、ひどくいやな声だったとさえ言っている、その方については、まるでめいめい、意見が違うという点であると。

「いや、それはね、証言自体の話であって、」と、デュパン君は言う。「その証言の特異性じゃないよ。つまり君はね、なんにも変った点に、気づかなかったらしいが、どうして大いに注意すべき点があったはずだよ。君の言う通り、あのダミ声の方については、証人の意見は、みんな一致した。いわば全員一致というわけさ。ところが、他方あの金切声の方に関してはね、非常に変ってる点はだよ、――なにも意見が違うということじゃない――それよりも、証人がね、イタリア人も、イギリス人も、スペイン人も、オランダ人も、フランス人も、すべてそれを説明しようとして、一様に、外国人の声だ、と証言していることなんだ。誰もみんな、それが自分たちの国語でないということだけは、断言する。しかも、その誰もが考えることはね、――自分がその国語を知っている国の人間の声じゃなくて、――つまり、その反対なんだ。フランス人は、スペイン人の声だったといい、もし自分が、スペイン語ができたら、多少はわかったろうに、というのだ。オランダ人は、オランダ人で、フランス人の声だと主張するが、そのくせね、供述書によると、本証人は、フランス語を解せざるため、通訳を介して、訊問を行えり、とあるだろう。イギリス人は、ドイツ人の声だったというが、これまた、私はドイツ語はわかりません、だ。一方スペイン人によるとね、たしかにイギリス人の声だったそうだが、但し、それは、ただ抑揚だけから判断したのだ、という。イタリア人は、イタリア人で、ロシア人の声だと信じているがね、そのくせ、ロシア人と話した経験は、一度もないのだ。おまけに、今一人のフランス人に至ってはね、さきのフランス人ともまた違い、こちらは、はっきりイタリア人だった、と断定しているんだねえ。もっとも、イタリア語は知らないんだから、ただ抑揚だけで判断した点は、さきのスペイン人と同断さ。してみるとだねえ、こうした奇妙な証言がなされる、その声とは、いったいなんという不思議な声だろうじゃないか、ねえ、君。とにかく、その声調を耳にしながらもね、ヨーロッパの五大国民の誰もがだね、全然見当がつかないという声なんだからねえ！　そこまで行けばね、あるいはアジア人の声だったかもしれないし、――いや、それともアフリカ人の声だったかもしれない、つまり、なんとでも言えるのだよ。ところが、パリには、アジア人も、アフリカ人も、そうたくさんは、いないのだ。だが、まあ、その推定も、一応否定はしないとしてだねえ、ただ僕は、次の三点だけは、注意してもらいたいねえ。つまり、一人の証人は、『鋭いというよりも、いやな声』と言ってるし、ほかの二人はまた、『早口で、高低の変化がひどい声』だった、と述べているんだ。言葉――そう、少くとも言葉らしい音は、一つとして聞き分けられなかったという、この点では、すべての証人が、一致しているわけだねえ。

「ところで、以上、僕の言ったことが、どんな印象を、君に与えたか、それは知らない。が、ただ僕として、躊躇なく言えることはね、これだけの証言――つまり、ダミ声と金切声とに関する、これら証言だけからしてもね、もしそれから、正しい演繹さえなされるならばだねえ、今後この事件の捜査の進行に、結構一つの方向を与える手掛りになるだろうことは、請合いなのだ。『正しい演繹』と、僕は言ったろう。だが、僕の言いたい意味は、それだけじゃ十分でない。つまり、僕が言いたいのはね、その演繹とは、唯一の正しい演繹であり、したがって、嫌疑の手掛りというものはね、否でも応でも、そこから出て来る唯一の結果としてでなければいけないのだ。ところで、その嫌疑の手掛りが、なんだかは、いましばらく言うまい。が、ただぜひとも憶えていてもらいたいことはね、僕に関する限り、それは、あの部屋での僕の調査にね、ある一定の形、――あるいは、ある一定の傾向を与えるに足る、十分な説得力をもっていた、ということなんだ。

「で、今かりに僕ら二人で、あの部屋に行ったとしよう。まず第一に、なにを探すかね？　むろん犯人たちの逃走手段だろう。ところで、僕らは、二人とも、超自然現象なんてものは信じない、と言ってもいいだろう。つまり、レスパネェ母娘《おやこ》は、亡霊や悪魔などに殺されたわけじゃない。いいかえれば、犯人は、ちゃんとした物質的存在であり、逃走手段もまた、物質的なんだ。じゃ、いったいどうして逃げたんだ？　幸い、この点についてはね、唯一つしかない推理方法があり、その方法が、いやでも一定の結論へと導いてくれるのさ。じゃ一つ、あらゆる可能な逃走方法を、一つ一つ検討してみようじゃないか。まず第一にだねえ、人々が階段を上って行った時にはね、犯人たちは、明らかに、レスパネェ嬢の死体が発見された部屋か、でなければ、少くともその隣の部屋にいたはずだ。してみると、僕らが求める出口というのはね、なんとしても、この二つの部屋からのでなくちゃならない。警官たちは、床といわず、天井といわず、壁石まで、それこそ一つ残らず剝がしてみた。よし秘密の出口なんてものがあったとしてもね、こいつは、とうてい彼らの眼を、逃れることはできなかったろうさ。だが、僕はね、決して奴らの眼を信用しないで、自分の眼で検《しら》べてみた。が、やはり秘密の出口なんてものは、一つもなかった。部屋から廊下へ出る扉には、二つとも、しっかり錠が下りて、しかも鍵は、内側にあるのだ。今度は、煙突だ。この方は、なるほど炉から上、八、九フィートまでのところはね、普通の広さだが、ずっと上の端までというとね、まず猫でも、大きなのになると、もう通らない。で、今言った出口がすべて、絶対に不可能だということになるとね、あとは、もう窓しかない。ところが、これも、表の部屋の窓となるとね、往来の群衆に見られないで、逃げるなんてことは、まあ、とうてい考えられないと。

するとだねえ、もう犯人たちは、裏側の部屋の窓から逃げる以外、方法は絶対にないのだ。ところで、これだけ明瞭な方法でね、こうした結論に達した以上はだ、もはやそれが、不可能らしいからという理由だけで、斥けることは、かりにも僕ら、推理家をもって任ずるものの、すべきことじゃない。むしろ僕らのなすべき仕事はね、この一見不可能らしいことが、事実は、決してそうじゃないということを、証明することでなければならぬ。

「あの部屋にはね、窓が二つある。一方は、家具類などの邪魔もなく、窓全体があらわれている。ところが、もう一方はね、これはまた馬鹿でかい寝台の頭の方が、ピッタリ窓に寄せつけて置いてあるので、下端の方は、隠れて見えなくなっている。はじめの方の窓はね、内側から、しっかり閉っていた。みんな、押し上げようとして懸命になったが、駄目だった。窓枠の左側に、大きな錐穴をあけてね、いやに頑丈な釘が、ほとんど頭のところまで、差し込んであった。もう一方の窓も、調べてみるとね、これも、同じような釘が、同じように差し込んである。そしてこれも、窓枠を押し上げようとしたが、駄目だった。ところが、ここまで来るとね、もう警察の連中はね、こっちの方からの脱出口はないと、すっかり安心してしまうんだねえ。したがって、釘を抜いて、窓を開けるなんてことはね、余計なことだと考えてしまうんだよ。

「ところが、僕の調査はね、もっと念入りだった。理由は、いま上に言って来た通り、――つまりね、ここにこそ、一見不可能事と見えることが、実は決してそうでないということを証明する、必至の鍵があると思ったからね。

「こんな風に、僕は、――いわば帰納的《ア・ポステリオリ》に、――考えを進めて行ったのさ。とにかく犯人たちは、この二つの窓の、どっちからか、逃げたのだ。だが、ただそうなるとね、窓は、ちゃんと閉っていたわけだが、あんな風に、改めて内側から、閉めるなんてことは、いくらなんでも、できるはずがないとね、――この点は、なるほど実に明瞭なので、警察の連中などはね、そのままこの方の調査は、やめにしてしまったわけさ。だが、とにかく窓は閉っているのだ。そうなると、もうなんとしても、なにか窓にひとりで閉る力があったというほかにない。この結論だけは、どうにも動きようがないのだ。僕は、一ぱいに見わたせる方の窓へ行ってね、少し骨は折れたが、釘を抜いて、窓枠を上げてみた。ずいぶん懸命になって、やったつもりだったが、予想通り、どうにもならなかった。きっと、秘密のバネがあるのにちがいないと、僕も、はじめて気がついた。で、こんな風に、僕の考えが裏づけされてみるとね、少くとも、僕の前提が、謬っていないということだけは、確信をえたねえ。もっとも、釘に関するいろんな事情にはね、まだまだわからないところが、いくらもあったが、そりゃ、まあ別さ。そこで、丹念に検べてみるとね、果して秘密のバネは、見つかった。僕は、早速押してみたがね、もうこの発見に満足して、窓枠を上げてみることは、しなかった。

「それから、また僕は、釘を元通りにさしてね、丹念に観察したねえ。かりに人が、この窓から出るとしてだねえ、あと、それを元通りに、閉めることはできるわけ、そしてまたバネが、自然にかかるということも、ありうるわけさ、——だが、釘を元通りにさすということだけは、これは、どうしてもできないはず。これは、もう明々白々たる結論だろう。そこで、そうなると、僕の調査範囲は、また一つ、狭まったわけさ。つまり犯人は、もう一方の窓から、逃げたものに相違ない。ところで、もし両方の窓枠のバネがだねえ、おそらくそうだろうと思うが、すっかり同じだとすればだよ、あとは、両方の釘に、でなければ、少くともそのさし方に、なにか差異《ちがい》があるに相違ないのだ。僕は、寝台のズックの上にのって、その頭板越しにね、もう一方の窓枠を、仔細に検べてみた。頭板の背後に、手を入れてみると、バネは、すぐみつかったのでね、僕は、早速押してみた。想像していた通り、それは、まさしく第一の窓のバネと、全く同じものだったねえ。で、今度は、釘を調べてみた。こいつもまた、前のと同様にね、ひどく頑丈な奴であり、見たところ、さしこみ方も、同じだった。——つまり、ほとんど頸のところまで、打ち込んであるわけさ。

「どうだ、困ったろう、と言うんだろう、ね？　だが、もし君が、そう思うならね、それは、帰納法ってものの性質を、完全に誤解していることに相違ないね。つまり、狩猟の言葉でいうとね、いまだかつて、僕は、一度として、『ヘマをやった』ことはない、つまり、臭いの跡を見失ったなんてことは、ないんだからねえ。この場合だって、鎖の環は、まだ一つとして、切れちゃいないんだぜ。僕は、秘密の実体を、究極の結果まで、追求していった――そして、その結果は、釘だったんだねえ。ところで、その釘だが、見たところは、あらゆる点で、もう一方の窓のと、瓜二つだった。ところが、そんなことはね、（なるほど、決定的なことに見えるかもしれないがね）、辿って来た手掛りの線は、いよいよこの時、この点で、ギリギリにまで来ているのだと思うと全く問題じゃなかったねえ。『きっと、なにかこの釘が、おかしいに違いない、』と、僕は言った。で、ちょっと、手をやってみるとね、果して四分の一インチほど脚がついて、頭が、ポロリと、取れたじゃないか、ねえ。あとの残りは、折れたまま、孔の中に残っているわけだが、その折れたというのはね（折れ口が、すっかり錆びてることから、考えてね）、よほど前のことらしいんだな。金槌で叩いて、頭の部分は、幾分、下の窓枠の上部に、めりこんだ、その時に、どうも折れたものらしいねえ。で、僕は、その頭の方を、抜けた元の穴へね、そっとまた、さしこんでみた。なるほど、見たところは、完全な釘と、ちっとも変らない、――折れ目は、全然見えないのだ。僕は、バネを押して、そっと静かに、窓枠を二、三インチ上げてみた。果して釘の頭は、しっかり穴にささったまま、窓について上って来るじゃないか。今度は、窓を閉じてみた。元通り、釘は立派に一本に見える。

「ここまでは、謎は見事に解けたわけさ。つまり犯人はね、寝台寄りの窓の方から、逃げたってことさ。窓の方はね、犯人が出てしまうと、自然に閉り(それとも、わざわざ閉めたのかな?)、そのままバネで、とまってしまったというわけだねえ。だから、警察の連中はね、釘づけになってるものとばかり思い込んじまってさ、――もうそれ以上、検べる必要はないと考えたらしいがね、とんだ見当違いさ。窓は、ただバネだけで、閉っていたんだよ。

「で、次の問題は、どうして降りたか、ということだな。この点についてはね、僕は、君と一緒に、あの家の周囲を歩いてみた時にね、すでにちゃんと、答は出ていたのさ。それにはね、あの問題の窓から、五フィート半ばかり離れて、避雷針が一本、立ってたろう? むろん、いかになんでも、この避雷針伝いに、押し入ったなんてことは考えられまいね。だって、入ることはおろか、窓まで直接手が届くってことさえ、とうてい考えられないからねえ。だが、その時、ふと気づいたことはね、あの四階の窓の鎧扉というのは、一種特別の鎧扉、パリの大工さんたちは、普通フェラードと呼んでいる、そいつになっているということだった――今じゃ、ほとんど廃れてしまったがね、それでもリヨンやボルドーなどの、ごく古い邸へ行くと、まだいくらでも見られるあいつさ。つまり、普通の扉(もっとも、あの観音扉じゃないよ、一枚扉の方だが)、その普通の扉と同じ構造になっていてね、ただ違いというのは、下半分が、格子造りになっており――手を掛ける分には、非常に都合よくなってる、というだけさ。ところで、あの窓の鎧扉だが、たっぷり三フィート半ばかりは、幅があった。あの家の裏へ廻って見た時に、ちょうど鎧扉は、二つとも半分開いていた、――つまり、壁と直角になって、開いてたわけさ。ところで、そりゃ警察の奴らだって、多分僕と同じに、裏まで廻って調べるくらいのことは、したろうさ。だが、ただそうしてもね、あのフェラードって奴を、前からバァッと見ただけじゃ(多分、そうだったにちがいない、と思うんだが)、あの扉の大きさは、わかりゃしないしさ、よしわかったにしても、とにかく大した問題には、しなかったんだねえ。事実、こっちの方には、逃げ途なしと、一旦思い込んでしまったあとではね、自然、調べもひどく簡単だったろうじゃないか。だが、少くとも僕にはね、あの寝台傍の窓の扉を、壁の方へ一ぱいに開けばね、結構避雷針との距離は、二フィート以下になることは、明瞭だった。それから、これまたはっきりしてたことはね、なにか異常な勇気と行動能力とがありさえすればだねえ、避雷針から窓越しに入ることは、たとえば、こんな風にやれば、立派にできるんじゃないかということさ。つまり、鎧扉が、一ぱいに開いてるとしてだよ、そこで、二フィート半ばかりも手を伸ばしゃね、扉の格子細工のところを摑むくらいは、すぐできたろうしさ、そこで、一方の避雷針の方の手を放し、足をぐっと壁にかけてね、思い切って、うんと蹴りゃ、扉は、パッと閉ること、請合いさ。さらにそこで、窓がもし開いていたとすりゃァね、なに、部屋の中へ跳び込むことだって、できようじゃないか。

「ここで一つ、特に注意してもらいたいのはね、そもそも、こうした際どい、困難な離れ業を、やってのけるにはね、これはもう人間離れした異常な行動能力が必要だと、僕が、言ったことなんだ。今まではね、そういうことも不可能じゃないということをね、まず証明するのが、僕の主意だった。だが、その次の、そしてまた一番大事な問題というのはね、そうした離れ業をやってのける敏捷さってものは、これはもう人間業じゃない――ほとんど、まあ、神業に近いもんだということだねえ。

「もっとも、そう言うとね、君の方じゃ、例の法律用語という奴を使って、いわゆる『自己の主張を弁護するため』にはね、この行動に必要な能力を、過大評価するよりも、むしろ過小評価してかかるべきじゃないか、と言うかもしれないがね。だが、法律の方じゃ、そうかもしれないが、理性の世界じゃ、決してそうじゃない。僕の究極目的はね、真実ただそれだけなんだ。したがって、さしあたり直接の目的はね、僕が今言った、あの人間離れした行動能力と、そして、あのきわめて奇異な、金切声というか、ダミ声というか、妙に高低のひどいあの叫び声とをだね、ぜひとも並べて考えてもらいたいんだ。あの声については、どこの国の言葉か、それこそ一人一人、意見が異ったし、またその音については、全く音節というものをなしていなかったということは、すでに言ったろう？」

　ここまで言われてみると、デュパン君の言っている意味が、ようやく、漠然とながら、僕の心にも、形を取って来た。はっきりわかるだけの力は、ないにしても、いわば理解のすぐ傍まで来ているといった形だった――ちょうど、僕らが、なにかを今にも思い出せそうで、そのくせ結局は、ついに思い出せないという、よくそんなことがあるのと、一緒だった。一方、デュパン君の話は、なおもつづいた。

「ねえ、君、これで問題が、逃走手段から、ようやく侵入手段の方へ移ったことは、わかってるだろう。ところで、本来僕の意図はね、侵入も、逃走も、結局同じ場所から、同じ手段で、行われたものだということを、君に考えてもらいたかったのだ。そこで、もう一度、部屋の中へ、戻ってみよう。そして、部屋の様子を、眺めてみようじゃないか。まず箪笥の抽斗だが、中の衣類は、たくさん残っていたそうだが、しかしとにかく、だいぶ荒されてはいたそうだねえ。だが、この推測は、出鱈目だよ。それは、単なる推測——しかも実に馬鹿げた推測にすぎん、——それだけのことだよ。だって、見たまえ、抽斗の中に残っていた品物がだよ、はじめ入ってたそのままでないと、いったいどうしてわかる? レスパネェ夫人母娘というのはね、極端に交際を避けた生活《くらし》をしていたもので、——ほとんど客もなければ、——外出もしない、——したがって、たくさんの着更えなどは、ほとんど要らなかった。しかも残っていたのはね、あの二人の女の持ち物としては、まず最上等品と思えるものばかりだった、というんだよ。もし泥棒が盗んだとすればだぜ、なぜ一番の上等品を盗まなかったんだろう? ——なぜ、洗いざらい、全部持って行かなかったんだろう、ねえ、君? つまり早く言えばね、なぜあの四千フランの金貨をそのままにして、わざわざ荷物になる、衣類などを盗って行ったか、ということなんだ。金貨は、そのまま、手をつけてないんだぜ。銀行家ミニョオ氏が言った金額が、ほとんどそのまま、袋に入って、床の上にあったんだからねえ。だからして、僕は、君に言うんだ、あの家の玄関口で、金が手渡されたという証言の一部分だけをつかまえてね、そこから、警察の連中が考え出した、途方もない動機論なんてものは、早く棄ててしまいたまえってね。偶然の暗合なんてもの、たとえば、ある人間に金を渡したら、その人間が、それから三日と経たぬうちに、殺されたというようなことはね、実はその十倍も驚くべき暗合が、僕らお互いの生活じゃ、ほとんど毎時間ごとに、起ってるんだがねえ、ただなんの注意も惹かないで、消えてしまっているだけなんだ。一般に言ってね、あの蓋然論《プロバビリティ》という、――いろいろ輝かしい人間研究の諸対象の中でも、これはまたもっとも輝かしいその例証を示しているといってもよい理論なんだが、――その蓋然論というものをね、全く知らないような教育を受けた自称思索家連中にとっては、この暗合という奴が、いつも非常に大きな躓きの石になっているわけさ。たとえば、今度の場合にしてもだよ、もし金が失くなっているとでもいうのならね、そりゃ三日前に、金を受け取ったということは、たしかに偶然の暗合以上の、なにかだったかもしれない。つまり、例の動機論を裏書きするものであったかもしれないねえ。だが、今度の場合などはね、いろいろ実際の事情を考えてみてだぜ、もし金というものを、兇行の動機だと考えるならばね、その犯人という奴は、よほどフラフラ頭の大馬鹿者で、金も、動機も、一緒くたに棄ててしまったものと、考えねばならなくなる。

「そこで、これまで僕が、いろいろ指摘して来た点ね、――つまり、あの一種独特の奇妙な声、人間離れした敏捷さ、これほど珍しい、兇悪な殺人だというのに、これまた驚くほど動機が考えられないということ、それらを、しっかり頭においてね、この兇行そのものを、もう一度ちょっと、考えてみようじゃないか、ねえ、君。それには、まず女が一人、手で絞め殺され、頭を下にして、煙突の中に押し込められていると。ところが、普通の殺人犯というものはね、決してこんな殺し方をするもんじゃない。少くともこんな風な、死体の処置をすることはない。死体を、煙突の中へ押し込んだというあのやり口だがね、これは、なんとしても、おそろしく変っている――たとえその犯人たちが、およそ考えられる限りの兇悪な人間だとしたところでだねえ、こればかりは、どうしても人間業という通念では、説明できないものがある、と思わないかねえ。それから、もう一つ、あの死体を引き出すにはね、五、六人の人間がかかって、やっとまあできたというのだろう。すると、それほど強くだねえ、あの煙突の中へ、死体を押し込んだ力ってものは、なんという猛烈な力だったろう!

「いや、なんとも驚くべき力が、用いられた証拠は、まだいくらでもある。暖炉の上には、白髪混りの人間の毛髪が、一つかみ――それも、非常に大きな一つかみ分ほど――のっていた。しかもそいつは、根ごとグイ抜きに、抜いたものだったというのだろう。君も知ってるだろうが、毛髪ってものはね、よし二、三十本にしたところで、こんな風に、引っこ抜くというには、相当の力が要るもんだよ。問題の髪の毛ってのは、僕も見たが、君も見たろう。(今思っても、ゾッとするが、)あの根元には、頭の肉が一部ちぎれて、べっとりくっついていたろう、――とにかく一気に、何十万本って髪の毛を、引っこ抜くというんだからね、いかに途方もない、恐ろしい力が、加えられたか、これほどたしかな証拠はないねえ。それから、夫人の咽喉だがね、これは、もう単に切られたどころの話じゃない、完全に、頭首ところを異にしてるんだからねえ、しかも道具は、たった剃刀一本だというんだろう。これら一連の所業の、いかにも動物的な残忍さね、これも一つ、見逃さないでもらいたいな。夫人の身体にあった打撲傷については、僕は、なにも言うことはない。デュマ先生と、その協力者エティエンヌ氏が、すでに述べている通り、なにか鈍器でできたものらしいな。そこまでは、二人の判断は、実に正しいといってよい。ところが、その鈍器というのはね、明らかに、あの中庭の鋪石なんだぜ。つまり被害者の死体はね、あの寝台傍の窓から、投《ほう》り出されて、鋪石の上に落ちたってわけだねえ。ところが、この考え、今から思うと、実にわかり切った、単純なことに見えるのだがね、警察の連中は、完全に見落してしまった。理由は、あの鎧扉の幅に気づかなかったと同じなのさ――つまり、あの釘のことが盲点になってね、かりにも窓が開いたなどということには、全然盲目同然だったんだねえ。

「そこでね、君、今までいろいろ言って来た事柄の上に、もう一つ、あの部屋の異様な乱雑さということを、ちゃんと正しく考えればだねえ、あとは、いよいよ綜合というところまで来たわけだ——まず驚くべき敏捷さ、人間業とは思えない力、動物的な残忍さ、無動機の残虐行為、まずどうみても人間離れのした、戦慄そのものの奇怪《グロテスクリ》さ、いろんな国の人間、その誰が聞いても、外国語としか聞えないという声、そしてまたはっきり意味のわかる言葉は、一語も聞き取れなかったというあの声、等々をだねえ。ところで、どうだね、その結果は？　いや、僕の説明からして、いったいどんな印象を受けたか？　ということなんだよ。」

訊かれて、僕は、思わずゾッと悪寒の走るのを覚えた。「狂人だねえ、犯人は、」と、僕は言った。「どこか近所の狂人病院からでも逃げた、狂人の仕業じゃない？」

「そう、ある点じゃ、君の考えも当ってないわけじゃない。」彼は、答えた。「だが、狂人の声というものはね、たとえどんなに烈しい発作の時でもね、決してあの階段で聞えたという、あの奇妙な声のようなもんじゃない。いくら狂人だとて、やっぱりどこかの国民だからね、したがって、その言葉も、いかに取り留めないからといって、やはり音節というものは、ちゃんとできているもんだよ。それに、狂人の髪の毛は、ほら、ここに持ってる、こんな風のものじゃ決してない。僕は、この少しばかりの毛をね、かたく握り締めたレスパネェ夫人の指から、取って来たんだがね。いったい君は、これを、なんと思う？」

「デュパン君!」と、僕は、すっかり色をなして、叫んだ。「これはまた、奇態な毛だねえ——人間の毛じゃない。」

「いや、僕だって、なにも人間の毛だなんて、言ってやしない。だが、その問題を決めるより前にね、ほら、僕が描いて来た、このスケッチを、ちょっと見てもらいたいな。これはね、あの証言のあるところでは、レスパネェ嬢の咽喉に印された『黒い打撲《うちみ》と、深い爪痕』と記されており、また他のところでは、(つまりデュマとエティエンヌだが)『明らかに爪の痕と思える、幾つかの鉛色の斑点』と書かれているものの、そのままの見取図なんだ。」

それから彼は、卓の上に、紙片を拡げながら、言葉をつづけた。「この絵から見てもね、よほど強く、がっちり摑んだことは、わかるはずだ。指の滑ったらしい痕などは、微塵もない。一本一本の指が、その最初摑んだ、おそるべき力をそのまま、——おそらく相手の死ぬまでだったのだろうが——ついに弛めなかったものらしいな。そこで、今度は一つね、この傷痕の一つ一つにね、君の指を、同時にきちんと当てて見たまえ。」

やってみたが、駄目だった。

「実は、それでもまだね、本当にやってみたことには、ならないかもしれないんだよ。だって、この紙は、平面に拡げてあるが、人間の咽喉は、円筒形だからね。ちょうどここに、棒切れがある。ちょうど咽喉くらいの太さだろうね。で、この紙を、それに巻いてね、もう一度、同じことをやってみたまえ。」

やってみた。だが、できないことは、いよいよ明瞭だった。「これは、どうも人間の手じゃないねえ。」

「じゃ、一つ、このキュヴィエの本の、ここんとこを読んでみたまえ。」

それは、東インド諸島に棲む黄褐色の大猩々《オランウータン》に関する、詳しい解剖学的な、また同時に、主として叙述的な記事だった。この動物のもつ巨大な体軀、異常な膂力《りょりょく》と行動能力、はなはだしい兇暴性、模倣的本能等々は、すでに世間周知の事実だが、僕は、一瞬にして、あの殺人事件の示す凄惨さの意味を、了解した。

「この指に関する叙述などね、」と、僕は、読み終ると、言った。「この絵と、実にぴったり符合してるねえ。なるほど、ここに書いてある種類の大猩々ででもなければ、とてもこの絵のような傷痕は、つかないだろうな。それから、この黄褐色の毛にしても、キュヴィエの書いている大猩々と、そっくりじゃないか。だが、それにしてもだねえ、僕には、どうもまだこの恐るべき事件の詳細がよく呑み込めないがねえ。まだそれに、あの言い争うような、二つの声ってのがあったろう。しかもその一つは、疑いもなく、フランス人の声だったはずじゃないか。」

「そうさ、その通り、そしてこの声に関しては、ほとんどあらゆる証言が、一致している——つまり、『こらッ！《モン・ディユ》』って言葉だったんだねえ。ところで、あの場合、この言葉の意味はね、証人の一人(つまり、菓子屋のモンターニなんだがね)、それが、はっきり説明しているように、明らかに、なにかを叱るというか、たしなめるというか、その声だったんだねえ。そこで、僕は、主としてこの二つの言葉にね、この謎を完全に解く、希望の鍵をかけたんだねえ。とにかく、この惨劇を知っているフランス人が、一人いるに相違ないとね。もっともこの男はね、多分——いや、多分以上、ほとんど確実に、——この兇行には、直接なんの関係もない人間だろうね。つまり、大猩々は、この男のところから、逃げたものに相違ないのだ。一応あるいはあの部屋まで、追っかけて来ていたかもしれない。だが、あとは、なにしろあの大騒動でね、ついに捕まらなかったのじゃないか、と思うのだ。とすれば、まだ大猩々は、捕まっていない。ところで、こうした臆測——だって、それ以上のものだとは、いくらなんでも言えないじゃないか、ね——で、その臆測を、これ以上つづけることは、もうこれで止そう、——というのはね、これら臆測の基礎になっている考慮の、いろいろ微妙な陰影はね、とうてい僕の知力でわかる程度の浅いものじゃあるまいしね、したがって、それを、他人の頭にわからせるなんて、とうていできる話だとは、思わないからねえ。だから、臆測は、臆測でいい。

どこまでも、ただ臆測として言うのだが、いったい、もしも僕の想像通りにね、このフランス人が、兇行そのものには、無関係だったとするとだねえ、きっとこの広告、僕が、昨夜帰りに、『ル・モンド』紙(こいつは、もっぱら海運業者向きの新聞で、したがって、船乗りたちが、よく読むのだが)、その社へ頼んで来たこの広告でね、きっとその男は、ここへ現われるだろうと思うんだよ。」

言いながら、彼は、僕に、一枚の新聞を渡した。読んでみると、

「本月××日早朝(つまり、事件のあった朝だな)、ボワ・ド・ブローニュにおいて、ボルネオ産大猩々一匹、捕獲せり。マルタ島船舶の乗組船員かと推測するが、もし所有者にして、その失踪猩々たることを証明しえ、捕獲並に保管に要せし若干費用の賠償に応じられんか、該猩々は、直ちに返却の需めに応ずるものなり。フォブール・サン・ジェルマン、××街××番地四階まで来訪ありたし。」

「それにしても、」と、僕は訊いた。「どうしてその男が、船乗りだか、またマルタ島船舶の乗組員だか、わかったのだねえ?」

「なに、わかってやしないさ。そんなこと、わかるもんか。が、ただここに一本、リボンの切れ端があるんだがね、どうも形といい、脂じみているところといい、明らかに、あの船乗りどもが好んでする、長い辮髪《べんぱつ》をね、結んだものとおぼしいのだ。おまけに、

この結び方というのはね、船乗り以外には、ほとんど出来そうにないものだし、しかも、もともとマルタ島人独特の結び方なんだねえ。僕は、これを、あの避雷針の下のところで、拾ったが、死んだ二人の女の所有品《もちもの》ってはずはないからね。そこで、このリボンから、僕は、てっきり問題のフランス人というのはね、マルタ島船舶に乗り組んでいる水夫と、踏んだのだがねえ。かりに、もしこの帰納推理が、間違っているにしてもだよ、僕は、あの広告で、ちっともいけなくはない、と思ってるんだ。もし間違っているならね、奴は、ただ僕が、なにかの事情で、思い違いをしたのだろうと思うだけで、別に、それ以上深く、詮索したりすることは、万《ばん》あるまいしさ。もし当っているとしたらだねえ、これは、たいへんなプラスになる。むろんあの殺人には、無関係だが、なにしろ知っていることは、知っているので、奴としてはね、当然広告に答えて、――猩々をもらいに来ることには、二の足を踏むだろうよ。つまり、こんな風に考えるんだねえ、――『俺は、無罪なんだ。それに貧乏と来ているからには、あの猩々は、俺にとっては、たいへんな値打物なんだ――俺のような身分のものにとっては、あれだけで、結構一財産だといっていい。――くだらん危険くらいを惧れて、あいつを失くしてたまるもんか。ふたたび、手に入るばかりのところまで来ているのだ。しかも、見つかったのは、ボワ・ド・ブローニュ、――兇行の場所からは、ずっと離れたところだというじゃないか。

まさかあの動物が、あんな兇行の犯人だなどと、誰が思うもんか。警察の方でも、迷宮入りというところらしい、――なに一つ、手掛りはないらしいじゃないか。それに、よしたとえあの猩々の仕業とまで、判明したところでだねえ、そのために、俺が、あの惨劇を知っているということを証明することは、とうていできまいし、かりに知っているとしてもだねえ、それによって、有罪になるなんてことは、まさかあるまいじゃないか。それに、なによりも、俺のことは、もうわかっているのだ。広告主は、俺のことを、ちゃんと所有主だと言っている。果して奴が、どこまで知っているか、それはわからない。してみると、すでに俺のものだとわかっているあの値打物をね、俺が、ついに貰いに行かなかったら、どうだろう、少くとも、わざわざ好んで、猩々に嫌疑をかけることになるじゃないか。俺自身にせよ、猩々にせよ、この際、人の注意を惹くことは、どうも拙い。よし、一つ広告に答えて、猩々は、取り戻してやろう、そしてこの事件が治まるまで、どこかにそっと、隠しておくのだ』と、いわば、まあ、こんな風にだね。」

その時だった、階段を上ってくる足音が、聞えた。

「さあ、ピストルを持って、」と、デュパン君が言った。「だが、いいかね、僕が合図するまでは、決して撃っちゃいけない。見せてもいけない。」

玄関の扉は、開いたままになっていたので、訪問者は、ベルを鳴らさないで、そのまま入り、階段を幾段か上ったらしい。だが、急になにかためらったらしく、やがてそのまま降りて行く足音が、聞えた。デュパン君は、急いで扉口のところまで行ったが、その時、またしても上って来る足音が聞えて、今度は、引き返す様子もなく、なにか決心でもしたような足取りで、上って来ると、部屋の扉をノックした。

「カム・イン、」とデュパン君は、あかるい、快活な調子で、応じた。

男が一人、入って来た。まさしく船乗りだった――背の高い、頑丈な、いかにも強そうな男だった。ちょっと悪魔とでも取り組みかねない面構えだったが、といって、別に悪い感じでもない。すっかり陽焼《ひや》けしたその顔は、半ば以上、頰髯と口髯とに隠れている。大きな樫の棒を、一本持っているが、ほかには別に、兇器など持っている様子はなかった。ひどく窮屈そうに、お辞儀をして、「今晩は、」と言ったが、そのフランス語は、多少のヌーシャテル訛りがあるとはいえ、明らかに、パリ生れであることを証して、あまりあった。

「まあ、君、かけたまえ、」と、デュパン君が言った。「猩々のことで、来られたんでしょうな。どうもたいへんなものをお持ちで、羨ましいくらいですよ。実に立派なもんだ。ずいぶんするでしょうな。何歳くらいです、あれで?」

やっと、たまらない重荷を下したとでもいうように、船乗りは、大きな息を、一つつ

いたが、それからは、ひどくしっかりした口調で、

「わしには、わからんがね、――まあ、四、五歳ってところだろうねえ。ここに置いといて下すったんかね？」

「いや、いや、ここには、あんなものを置いておく設備はないんでね、すぐ近くのね、デュブール街の貸馬屋の厩に、置いてもらってあるがね。だから、明日の朝には、お渡しできますよ。だが、もちろん君のだってことは、証明できるだろうねえ？」

「もちろん、できるともね、旦那。」

「僕も、ちょっと、手放したくないような気もするがねえ。」

「そりゃね、旦那、いろいろこんな御面倒をかけておいてね、無料でお貰いしようなんて、そんなつもりは、あっしだって、ないからね。そんなことは、はじめから考えてもいねえですよ。とにかく見つけて下すったことについちゃね、喜んで、お礼させていただくつもりだねえ――もっとも無茶なこと、おっしゃっちゃ、駄目だがね。」

「なるほど、そりゃ、よく話がわかる。ええっと、――じゃ、なにをいただくかな？ああ、そうだ！ いいかね、君、お礼は、一つこうしてもらいたい。つまり、あのモルグ街の殺人事件についてね、君の知ってるだけの情報を、すっかり話してもらいたいねえ。」

デュパン君は、この最後の言葉を、実に静かに、しかもひどく低い声で、言った。そして、これも実に静かに、扉口の方へ歩みよると、鍵を下して、鍵をポケットに入れた。それからさらに、懐中からピストルを取り出すと、顔色一つ変えずに、静かに、卓の上に置いた。

男の顔は、まるで呼吸でも詰ったかのように、一瞬真赤になった。ハッと立ち上ると、いきなり棍棒を握り締めたが、しかし次の瞬間には、グッタリ椅子に崩れかかったと思うと、死人のように真蒼になって、ガタガタ震え出した。一言も、口を利かない。僕は、心から可哀そうになったくらいだった。

「ねえ、君、」と、デュパン君が、やさしい調子で、声をかけた。「君はね、要もないのに、ひとり脅えてるんだ――本当に、そうだよ。僕らはね、君をどうしようというんでもない。危害なんぞ加える意志は、毛頭ない。それはね、紳士としての名誉、フランス人としての名誉にかけて、誓ってもいい。あのモルグ街の惨劇についてね、君が、全く無罪だということは、ようくわかってるんだ。しかし、だからといってね、君が、あの事件に、幾分か関係があるということまで、否認するのは、よくないねえ。今まで、僕が言ったことからしてもね、僕が、この問題に関して、ある方法で、すでに情報をえていることは、きっともうわかったろう、――それはね、君には、おそらく想像もつかない方法なんだよ。そこでだ、現在、問題は、こういうことなんだ。君として、避ければ避けられること、——つまり、君を有罪にするようなことをだねえ——君は、なに一つとして、やってやしないんだ。いや、君の場合はね、なに一つ罪になる心配なしに、盗もうと思えば、盗めたのに、それさえやっていないのだ。隠すことなんぞ、なんにもない。隠す理由が、ないのだねえ。それどころか、むしろ男子の名誉にかけてだねえ、知ってることは、全部言ってしまう義務があるはずだよ。というのはね、君だけが、その真犯人を明らかにすることのできる、その罪のために、現在、罪もない男が一人、監獄に入れられてるんだからね。」

こんな風に、デュパン君が話している間に、船乗りは、だいぶ落着きを、取り戻した。だが、そのかわり、最初の大胆不敵な様子は、すっかり消し飛んでしまった。

「ああ、なんてこった!」と、彼は、ちょっと間を置いてから、言った。「いや、もうすっかりお話しするよ、——だがね、いくら言っても、旦那は、その半分も信じちゃくれまいなあ、——実際、そんなこと、当てにする方が、どうかしてるだろうからなあ。が、とにかく、あっしは、無罪だよ。もうこうなりゃ、殺されたっていい、みんな言っちまうぞ。」

で、彼の話は、要するに、こうだった。最近彼は、インド諸島へ航海をして来たのだそうだ。ところで、ある一行に彼も加わって、ボルネオに上陸し、奥地まで、遊びに行って来たのである。その時、彼と、仲間の一人とが、たまたま猩々を生捕った。そのうち、この仲間が死んで、結局、猩々は、彼一人のものになったのだ。なにしろ手に負えない兇暴さなので、帰りの航海でも、ずいぶん手を焼いたものだが、なんとかとうとうパリの彼の家まで、無事持って帰って来た。だが、近所の人々から、妙な目で見られるのがいやさに、船の上の板片で傷つけた、足の傷が癒るまで、用心深く、人目につかぬようにしておいた。いずれは、売ろうというつもりだったのだ。

ところで、あの惨劇の晩、というよりは、もう朝だったが、彼は、船乗仲間の飲み会から帰ってみると、例の猩々が、彼の寝室にいるではないか。隣りの小部屋に、大丈夫閉じこめたつもりでいたものが、いつのまにか、扉を破って、押し入っていたのだった。剃刀片手に、顔中シャボンの泡だらけになって、鏡の前に坐っている。これまできっと、鍵穴から覗いて、主人のやるのを見ていたにちがいない、顔を剃る真似事をやっているのだ。なにしろあの兇暴な動物が、この危険な兇器をもっている、しかも、それを使う術も知っているのだから、たまらない。彼は、一目見ると、驚いてしまって、しばらくは、どうしていいかわからなかった。だが、彼は、平生、どんなにそれが荒れ狂っている時でも、鞭さえふるえば、必ず鎮まることを知っていたので、この時も、早速そのことに思い及んだ。果して鞭を見ると、猩々は、たちまち戸口を跳び出して、階段を降り、折悪しく開いていた窓口から、往来へと、駆け出してしまったのだった。

船乗りは、絶望しながらも、あとを追った。が、猩々の方は、相変らず剃刀を手にしたままま、ときどき立ち止っては、振り返る、そして彼が、危うく追いつきそうになるまで、しきりに、彼の身振りをしてみせる。しかも、追いつくと、また逃げ出すのだ。こんな風にして、長い間、追い駆けっこをしていた。もうかれこれ朝の三時頃で、街は、すっかり静まり返っている。モルグ街の裏手の、細い小路を駆けているうちに、ふと猩々は、レスパネェ夫人の四階の部屋、開いた窓から、光が洩れているのに、気がついた。建物の傍へ駆け寄ると、避雷針があった。彼は、目にもとまらぬ敏捷さで、攀じ上ると、一ぱいに壁の方へ開いていた鎧扉につかまって、それによって、直接ヒラリと、寝台の頭板の上に、跳び移った。はじめからしまいまで、一分とはかからなかった。一方、鎧扉は、猩々が、跳び込む反動で、また元のように、勢いよく開いた。

その間、船乗りの気持は、喜びもしたが、当惑もした。猩々にしてみれば、自ら進んで跳び込んだ罠も同然で、こうなった上は、また避雷針を伝うより、逃げ途はないのだから、降りて来るところを、捕えればよい。まずこれで、取り押える希望はできた、と思った。だが一方、家の中で、なにを仕出かすかと思うと、大いに心配の種もあった。

結局、あとの方の心配から、彼は、なおも猩々を追うことにした。避雷針の方は、造作なく登れた。ことに船乗りの身には、そうだった。だが、ちょうど、窓をはるかに左に眺めて、その高さまで上り着くと、あとは、ハタと行き詰った。せいぜいのところが、身体を伸ばして、部屋の中を垣間見るだけだった。だが、それだけで、もう彼は、恐怖のあまり、危うく摑んでいる手を離すところだった。モルグ街の住民たちの夢を破った、あのおそろしい叫び声が、夜の闇をつん裂いたというのは、まさにこの時だったのだ。ちょうど夜着に着更えたレスパネェ母娘が、前にも言った例の鉄箱を、部屋の真中へ引き出して、なにか書類の整理でもやっていたらしい。箱の蓋が開いて、中味が、すぐ傍、床の上に出してあった。二人の女は、きっと窓の方を背にして、坐っていたものにちがいない。猩々が跳び込んだ時と、悲鳴の上った時との間に、いくらか時間の経過があるのは、おそらく、すぐには気がつかなかったのだろう。鎧扉のガタついたのも、あるいは風のせいと、考えられたかもしれないのだ。

船乗りが、覗き込んだ時は、ちょうど猩々が、レスパネェ夫人の髪の毛を摑んで（梳いたあとと見えて、解けていたのだ）、床屋の真似か、顔のあたりに、例の剃刀を振り廻している時だった。娘の方は、倒れたまま、身動きもしなかった。もうすでに失心していたのだ。ところで、夫人の悲鳴と身悶えとが（その間に、例の毛髪が、むしり取られたのだが)、おそらく別に危害を加える目的はなかったろう猩々の意志を、すっかり憤怒のそれに、変えてしまった。あの逞ましい腕で、一搔き、グイッとやると、たちまち彼女の頭は、ほとんど胴体から切れてしまった。血を見ると、彼の怒りは、狂乱に変った。歯を鳴らし、眼を血走らせて、今度は、娘の身体に、跳びかかって行った。そしておそるべきその爪を、彼女の咽喉首に突き立てると、そのまま息が絶えるまで、離さなかった。ちょうどその時、彼の狂ったぎょろぎょろ眼が、寝台の頭のところに落ちると、その向うに、恐怖のあまり、石のようになった主人の顔が、チラリと見えた。疑いもなく、おそろしい鞭の記憶だけは、まだ残っていた猩々は、途端に、憤怒が恐怖に変った。自分が悪いことをしたことは、よくわかっている彼としては、とにかく兇行の痕を隠せばよいとでも思ったものらしい。なにかひどく興奮して、あちこち部屋を跳び廻りながら、家具は倒して壊す、寝具は、寝台から引きずり出す。結局、まず娘の方の死体を鷲摑みにすると、あの見つかった時そのままに、煙突の中へと押し込んだ。次は、老夫人の番だったが、これは、たちまち窓から、真逆様に投げ落した。

ところで、船乗りは、猩々が、斬り苛《さいな》んだ死体を抱いて、窓の方へ近づいて来た時には、色を失ったまま、小さくなって、避雷針にしがみついていたが、あとは降りるというよりは、滑り落ちて、そのまま家へ、逃げ帰ってしまった、——兇行の結果も、怖ろしかったが、そのあまり、あの猩々の運命などについては、喜んで、一切考えることを忘れてしまった。階段を上った人々が聞いたという例の言葉は、つまり悪鬼のような猩々の声に交って、この船乗りが挙げた、恐れと驚きの叫び声だったのだ。

もはや、これ以上付け加えることは、なんにもない。きっと猩々は、部屋の扉が破れる前に、逸早く、また避雷針を伝って、逃げたものに相違ない。その時に、窓は、また閉めて行ったものにちがいない。当の猩々は、その後、所有主自身が捕えて、なんでも大した金で、植物園《ジャルダン・デ・プラント》へ売ったということだ。ル・ボンは、僕らが警視庁へ行って、一切事情を説明すると(もっとも、だいぶデュパン君の註釈つきでだが)、すぐに釈放になった。ところで、警視総監君だが、むろんデュパン君に対して、好意以外はないはずだが、流石《さすが》に事件のドンデン返し振りには、いささか口惜しさが、隠し切れなかったらしい。人間、よけいなお節介は、考えものだぜなどと、ちょっぴり厭味を、言わないではいられなかったようだ。

「なんとでも、言わしておくさ、」と、かんじんの皮肉には、答える要もないと考えたか、デュパン君は言った。「しゃべりさえすりゃ、気が安まるんだろうからね。僕としちゃね、奴の本拠をついて、そこで敗かしてやったというだけで、満足さ。だが、先生がね、この事件の解決に失敗したということはね、決して彼が思っているような、不思議でも、驚きでもない。というのはね、正直なところ、あの総監君はだよ、小才が利きすぎて、かえって浅智恵なんだなあ。つまり奴の智恵には、雄蕊がないんだ。ラヴェルナ女神の像みたいにね、頭があって、胴体がない。――いや、せいぜいのところが、あの鱈《たら》みたいにね、頭と肩とばかりなんだ。だが、結局は、いい男だよ。あれで、奴は、とても怜悧だという評判だってねえ。そこで、その由って来る所以を、実に巧く評しえた名文句があるんだがね、僕は、そのために、一そう奴が好きなんだよ。つまり、先生の手口っていうのはね、『あるものを否定し《ド・ニエ・ス・キ・エ》、ないものを説明する《エ・デクスプリケ・ス・キ・ネ・パ》＊』というのさ、ね。」

＊ルソー『新エロイーズ』

マリ・ロジェエの迷宮事件

「モルグ街の殺人事件」続篇

現実の出来事に対して、それと並行して進む一連の観念的な出来事がある。だが、両者が一致することは、ほとんどない。人間や、周囲の事情が、普通観念的な一連の出来事を改変し、その結果、それは、著しく不完全なものに見え、その結果もまた、同様に不完全なものとなる。宗教改革についても、同様である。プロテスタント主義のかわりに、ルーテル主義が来た。

ノヴァーリス「道徳論」

いかに冷静な思索家たちといえども、時に思わず、超自然的存在を、漠然とながら、一種の興奮をもって、半ば信じる気持になったことのない人間は、蓋し稀だろう。それは、ただ単なる暗合としては、とうてい理知の許容しえないものであっても、とにかく一見驚くべき性質の、いろんな暗合に、実際ぶつかった場合のことである。そして、このような感情——というのは、いま言っているような半信仰には、とうてい思想と呼ばれるほどの、十分な力がないからだが——とにかくそうした感情が、完全に克服されるためには、いわゆるあのチャンスの原理、あるいは、もっと専門語で言えば、例の確率の計算という奴によるのでなければ、まずほとんど望めない。ところで、その確率計算だが、それは、そもそも本質においては、純粋に数学的なものであり、したがって、われわれは、学問という学問の中でも、もっとも厳密、正確なものを転用して、これはまた標渺、あたかも影の如く、空霊の如く、およそもっとも捕捉し難い思弁の問題に適用しようという、まことに変則的なことをやるわけである。

ところで、今僕が、発表しようとしている珍しい事件の詳細は、時間的順序からいえば、あるほとんど理解を絶した一連の暗合の、いわば第一の分枝をなすものであり、その第二、したがって最後の分枝をなすものは、最近ニューヨークで起ったメアリ・セシリア・ロジャーズ殺しの一件であることは、おそらくすべての読者諸君が承認されることだろうと思う。

一年ほど前だが、僕が、「モルグ街の殺人事件」と題する一文で、わが友、勲爵士《シュヴァリエ》C・オーギュスト・デュパン君の心理的性格が持つ、きわめて顕著な特異点の幾つかを、描いて見ようとした時には、もはや二度と、同じ主題を取り扱おうなどとは、夢にも考えなかった。この性格を描くということが、そもそも僕の意図だった。そしてその意図は、いわばデュパン君の特異な性格の例証ともいうべき、あの異常な出来事の一連を紹介した時、すでに立派に達成されていたのである。むろん、まだもっとほかの実例を、幾つか加えることはできたろうが、といって、なにも改めて、新しい証明は、少しもなかったはずだ。ところが、今度の出来事は、その後おどろくべき発展を示し、僕としても、多少強迫による自白といったきらいはあるが、今少し詳しく書いて見る気になった。というのは、最近僕が耳にしたようなことを、現に聞きながら、その同じ僕が、はるかずっと前に、見聞している事柄を、このまま黙って過すとすれば、かえってその方が、どうかしているというものであろう。

レスパネェ夫人母娘の死に絡まる悲劇が、一応片づくと、わがデュパン君は、たちまち、こんな問題は、忘れてしまい、また元のむっつり屋、夢想家の彼に返った。幸い僕も、しょっちゅうボンヤリ考え込む癖があるので、彼の気分とは、まるでお誂え向きに、よく合った。で、二人は、相変らず、フォブール・サン・ジェルマンの部屋を借りたままで、まあ「未来」のことは、明日の風まかせ、もっぱら「現在」だけの中に、陶然と眠り暮して、退屈な周囲の世界などは、すっかり夢の中に、織り込んでしまっていた。

だが、そうした夢も、時には破られることがある。いうまでもあるまいが、例のモルグ街事件で、わがデュパン君が演じた役割については、それが、パリ警視庁の連中に与えた感銘が、大きかったのは、当然であろう。そこの探偵諸君の間では、彼の名は、いわば日常語の一つになってしまった。あの迷宮事件の解決に当って、彼が用いた例の単純至極な帰納推理については、むろん僕以外には、誰にも、いや、総監その人に対してさえ、全く話していなかったので、当然のことながら、あの事件は、ほとんど奇蹟同様に考えられ、彼の例の分析的能力もまた、徒らに直感力という評判を、獲ていたにすぎなかった。もともと率直な彼のことだから、なんならこんな偏見は、一人残らず蒙を啓いてやりたいところなのだろうが、あいにく一方ではひどい、物臭屋の点もあって、自分の方でまず興味のなくなってしまった事件の話を、今さら改めて蒸し返す気には、とうていなれないのだった。そんなわけで、いつのまにか、警察の連中の注目の焦点になり、警視庁の方から、進んで彼の助力を求めようとした事件も、決して少くなかった。マリ・ロジェエと呼ぶ若い娘の殺害事件なども、実はその最も顕著な事件の一つだったのだ。

この事件は、あのモルグ街の惨劇から、二年ほど後のことだった。マリは、その洗礼名や姓が、ちょうど、あの不幸な「煙草売娘」のそれと似ていることに、すぐ気がつくだろうが、これは、エステル・ロジェエという寡婦の、一人娘だった。父親は、マリが、まだほんの子供だった時分に、歿《な》くなり、その時から、今この物語の主題になるはずの殺害事件の一年半ほど前まで、ずっと母娘で、パヴェエ・サン・タンドレ街に住んでいた。ここで母親が、素人下宿《パンション》をやっており、マリも、それを手伝っていたのだった。ずっと、そんな風で、そのうちマリも、とうとう満二十一歳になったが、その時、はからずも、彼女のすばらしい美貌に、目をつけたのが、ル・ブランというある香水屋だった。彼は、パレェ・ロワイヤールの地階に、店を持っていて、客といっては、もっぱらその辺に巣くっている、ごろつき同様の山師、相場師などであった。ル・ブランとしては、マリのような美人を、店に置くことが、どんなによい儲けになるか、それもちゃんと心得ていた。ひどく条件のよい彼の申し出に対して、母親の方は、ちょっとためらったようだが、マリ自身は、むしろ進んで応諾した。

ル・ブランの狙いは、果して当った。彼の店は、この明るい女売子《グリゼット》の魅力、美貌で、たちまち有名になってしまった。一年ばかりも勤めた時だったが、ある日、彼女は、突然店から姿を消して、いわゆる狼連を、すっかり面喰わせたのだった。理由は、主人のル・ブランにも、見当がつきかねた。マダム・ロジェエは、不安と怖れとで、狂人のようになった。新聞は、早速書き立てるし、警察でも、いよいよ本腰を入れて、捜査にかかろうというところで、ちょうど一週間経った、ある晴れた朝だったが、マリは、飄然として、いつものように、また店の勘定台に、姿を現わした。至って元気そうだったが、ただ心なしか、幾分沈んだようなところはあった。そんなわけで、内輪のものは別として、公の捜査は、一応ただちに打ち切りになった。ル・ブランも、以前の通り、自分は全く何も知らないと言うし、マリも、母親と口を合せて、一切なにを訊かれても、ただ先週は、田舎の親類の家へ行っていたのだ、と答えるだけだった。こうして事件は、納まるし、たいていの人は、忘れてしまった。というのは、裏面はとにかく、表面は、世間の好奇心が、うるさくてたまらないということで、まもなく娘は、本当に店をやめ、またパヴェエ・サン・タンドレ街の母親の家に、同居することになったからだった。

家へ帰ってから、五カ月ばかりも経った頃だろうか、彼女の友達たちは、またしても突然、彼女が姿を昏《くら》ましたという報せに、驚いたものだった。三日経ったが、消息は、杳《よう》としてわからなかった。ところが、四日目になって、セーヌ河の、しかもちょうど、サン・タンドレ街区の対岸、河岸近くに、死体になって浮んでいるのが、発見された。そこはまた、あのルール関門《バリエール》に近い、ひどくさびれた界隈から、あまり遠くない地点でもあった。

殺し方の残虐さ(むろん他殺であることは、一見してわかった)、被害者の若くて、美人だったこと、それになによりも、以前からとにかく評判が高かったこと、そんなことが一緒になって、たちまち事件は、物見高いパリっ子たちの間に、強い反響を呼んだ。僕自身の記憶から言っても、この種事件で、これほど広い、これほど強い聳動を与えたものは、寡聞にして知らない。何週間かというものは、もうこの話題一つで持ち切りで、そのために、幾つか当時の重要な政治問題でさえ、しばらくは完全にお預けという形だった。総監も、特別の尽力を払うし、パリ中の警察力は、むろん全力を挙げて、動員された。

　最初、死体が発見された時には、なにしろ捜査はいち早くはじめられたことでもあり、ほんのしばらくは知らず、そう長く、犯人が、見つからない、などということはありえないと、考えられた。したがって、懸賞金の必要に気づいたのは、ようやく一週間も経ってからだった。しかもその時でも、額は、わずかに一千フランだった。むろんその間も、捜査の手は、必ずしもいつも賢いとはいえなくとも、とにかくどんどんと進められては行った。多数の人間が、取調べを受けたが、結果は、なんにもならなかった。一方、市民たちの興奮は、相変らず手掛りの上らないのに、業を煮やし、いよいよ募るばかりだった。十日経つと、これは、懸賞金を二倍にした方がよかろう、ということになった。が、二週目もまた、なんの発見もなくて過ぎてしまい、そうなると、いつもパリ市民の中に、根強く潜んでいる警察への偏見が、幾度か、憂慮すべき暴動《エムート》となって現われる始末に、とうとう警視総監も、彼自身の責任で、「犯人を摘発した場合には、」一万フラン、もしまた多数の連累者がある場合には、「犯人たちの、誰か一人をさえ摘発すれば、」これまた同額という、懸賞金を出すことにした。さらに、この懸賞金を発表する公告の中には、たとえ共犯者の一人であっても、もし犯人密告の証拠材料をもって、出頭する場合には、完全に無罪たるべしというような約束まで、触れ出してあった。しかも至るところ、公告の出ているその傍には、警視庁提供の懸賞金のほかに、市民たちのつくっている委員会からも、一万フランを出すという、民間掲示まで添えてあった。そんなわけで、懸賞金の総額は、実に三万フランにも達し、むしろ低い被害者の身分や、なにしろ大都市では、こうした惨劇は、実にしばしば起るものであることなどを考えると、なんとも法外な金額というより、ほかなかった。

もはやこうなっては、この殺人事件の謎も、たちまち解けるだろうということは、何人もまず疑わないところだった。ところが、なるほど一、二度は、やや望みのありそうな嫌疑者も捕まったが、結果は、どうも彼らを連累者と決定するような証拠は、なに一つ、引き出せないで、みんな即時釈放ということになった。ところで、まことに奇妙に思えるかもしれないが、これほどまでに世間を騒がした事件が、死体が発見されて三週間経ち、その間、なんの曙光が現われるというでもなく、みすみす過ぎてしまうまで、デュパン君と僕とは、実に噂一つ、耳にしていなかったのだった。僕らは、ある研究に、全心を傾けて没頭していたので、二人とも、ほとんど一月間というものは、外出一つしなければ、来客一人迎えたこともない。毎日の新聞紙の政治論説さえ、ほとんど走り読みするか、しないかの有様だった。で、はじめてこの事件を知ったのは、総監のG——が、自ら親しく、僕らを訪ねて来た時だった。彼は、一八××年七月十三日の午過ぎ、やって来て、夜おそくまでいて、帰った。犯人検挙の努力が、すべて失敗に終ったについては、ひどく腹を立てており、これでは、自分の名声が——と、いかにもパリ人らしい様子で、そう言ったが——はなはだ危殆《きたい》に瀕しているばかりか、むしろ名誉、面目の問題もある。世間の眼は、一せいに、彼に注がれており、したがって、この事件の解決促進のためならば、実際どんな犠牲を払っても差支えない、というのだった。で、結局彼は、このいくらか滑稽でもある話の最後を、彼のいわゆるデュパン君の腕なるものへの、一場のお世辞で結ぶと、改めて、これは直接、しかもはなはだ気前のよい申し出を、彼にした。果してそれが、厳密に、どういう性質の申し出であったか、あいにく僕は、ここで書く自由を持たないが、もっともそんなことは、僕のこの話には、少しも直接の関係はない。

ところで、デュパン君は、お世辞の方は、極力斥けたが、申し出の方は、むろんまだその利害得失は、全く仮定的なものだったが、とにかく即座に引き受けた。この点の話が決ると、総監は、たちまち、事件に対する彼自身の見解を披瀝しはじめた。もっともその間には、証拠材料に関する、長々とした註釈が入るのだが、かんじんのその証拠は、まだ僕ら、一つとして握っていない。彼は、滔々と、また事実、博識をひけらかして、述べ立てた。僕は、だんだん夜が更けて眠くなったのを、おりおりそれとなく臭わせるのだが、デュパン君の方は、例のいつもの肘掛椅子に、凝然と坐って、見たところ、それこそ傾聴そのものといった恰好だった。彼は、この会見の最初から、眼鏡をかけていたが、ときどきその緑《あお》い玉の奥を、チラッと窺って見るだけで、なるほど総監の帰って行くまでの、退屈きわまる七、八時間の間、寝息こそ立てないが、実はぐっすり眠っていたのだということは、はっきり読み取れた。

朝になると、僕は、警視庁へ行って、わかっている限り証拠材料の完全な報告書と、同じく方々の新聞社を廻って、はじめから終りまで、この惨劇に関する、少しでも決定的な報道の出ている新聞は、一つ残らず、もらって来た。はっきり反証の挙ったものは、すべて除いて、集まった情報は、ほぼ次のようなものだった。

マリ・ロジェエは、一八××年六月二十二日、日曜日の朝、九時頃に、パヴェエ・サン・タンドレ街の母親の家を出た。出かける時に、ジャック・サン・トゥスタッシュという男、しかもこの男だけに、今日は、デ・ドゥローム街に住んでいる叔母の家へ行くのだということを、話したという。デ・ドゥローム街というのは、セーヌ河岸から、あまり遠くないところで、マダム・ロジェエの下宿からは、できるだけ真直ぐに行って、二マイルばかりあろうか、短くて、狭いが、人通りの多い街だった。サン・トゥスタッシュというのは、マリの許婚者で、彼女の下宿に泊り、食事もそこでしていた。で、夕方には、マリを迎えに行って、一緒に帰って来るはずだった。ところが、午後、ひどい大雨になり、これならいずれ叔母の家に泊って来るだろう(事実前にも、そんな時には、よく泊って来たものだった)、と思ったので、特に約束を守る必要もあるまいと思った。日が暮れそうになって、マダム・ロジェエ(もう七十の老齢で、だいぶ身体も弱っていた)が、ふと、「もうあの子にも、二度と会えまい、」と呟くのを聞いたが、その時は、別に気にも留めなかった。

月曜日になって、マリは、デ・ドゥローム街に行っていないことが、わかった。そしてその日も、杳として消息はなく、暮れてしまい、ここにはじめて、遅蒔きながら、市内や周辺の、心当り数カ所に、捜索の手が進められた。だが、とにもかくにも、満足すべき情報が入ったのは、実に失踪からして四日目だった。この日(六月二十五日、水曜日)、ボオヴェエという男が、仲間の一人と一緒に、パヴェエ・サン・タンドレ街の対岸、セーヌの河岸で、ルール関門の近くを捜していると、漁師たちが、流れている死体を見つけて、今しがた引き上げたばかりだということを、教えてくれるものがあった。死体を見ると、ボオヴェエは、いくらかためらった後で、たしかにあの香水屋の娘であることを、確認した。仲間の方に至っては、もっと早く、一見して、そうだと言った。

顔は、一面、どす黒い血に塗れていたが、一部は、どうやら口から吐いたものらしかった。単純な溺死人の場合と異って、泡は、一向に噴いていなかった。細胞組織の変色は、見えなかったが、咽喉のあたりには、打撲《うちみ》と、明らかに指の痕が、残っていた。両腕は、胸の上に畳んだ恰好になり、すっかり硬直していた。右手は、しっかり握り締め、左手は、半分開いている。左手頸《てくび》には、二本の綱か、それとも一本を、二巻きにしたものと覚しく、二筋、皮膚が、円く擦り剝けていた。右手頸の一部も、それから背中全体、とりわけ両肩胛骨のあたりも、ひどく擦り剝けている。むろん死体を、岸に引き寄せる時、漁師たちは、綱を結びつけたが、これら擦傷は、決してそれでできたものではなかった。首の肉は、ひどく腫れ上っていた。が、切傷らしいものや、なにか撲たれたためにできたと思えるような傷は、一つとしてなかった。首のまわりには、一本のレースが、まるで隠れて見えなくなるほど、強く縛りつけてあった。すっかり、肉に食い込んでしまい、ちょうど左耳の下のところで、結んであった。これだけでも、死の原因としては、十分だった。被害者の身持ちについては、検視医は、確信をもって証言した。要するに、獣欲的暴行を受けたにすぎない、というのだった。発見された時の死体の状況は、ざっと以上のようなものだったので、知人たちなら、まずなんの困難もなく、確認できたろうと思えるのだ。

衣服は、ひどく破れていた上に、そうでないところも、すっかり乱れていた。上衣は、裾から腰のあたりまで、幅一フィートばかりの布片が、長く引き裂かれて、裂き取られてはいないが、それで腰のまわりを三つ巻き、背中のところで、一種の索結び《ヒッチ》にして、とめてあった。上衣のすぐ下の着物は、薄いモスリン地だったが、これは十八インチ幅ほどの細片が、これは完全に――しかも、ずっと真直ぐに、実に入念に、裂き取ってあった。そして、裂き取ったその片は、ゆるく首を巻いてしっかり固結びに結んであった。このモスリンの片、そしてまた例のレースの片の上からは、婦人帽の紐が、結えつけてあり、その端に、帽子がそのまま、ぶら下っていた。この紐の結び目は、いわゆる女結びではなく、引き結び《スリップ》、または水兵結び《セイラーズ・ノット》と呼ばれるものだった。

死体の身許《みもと》がわかったので、慣例のように、別に仮収容所《モルグ》へ送るまでもなく(そんな形式的手続きは、余計だった)、陸揚げされた場所から、程遠からぬところに、大急ぎで埋葬された。ボオヴェエの尽力で、事はできるだけ内聞にされ、したがって、世間が騒ぎ出したのは、かれこれ五、六日も経ってからだった。だが、ある週刊新聞が、とうとう、これを書き立てて、おかげで死体は、掘り起され、改めて再検屍を受けた。だが、結果は、上に述べたこと以外、なに一つ、新しい事実は、出て来なかった。ただ今度は、着ていた衣類が、母親並に知人たちに示されて、たしかに、家を出た時の服装に相違ないことが、立証された。

そのうちにも、騒ぎは、刻々に大きくなるばかりだった。何人かの嫌疑者が、捕えられては、釈放された。とりわけ嫌疑のかかったのは、サン・トゥスタッシュだった。彼は、最初、マリが家出した日曜日のアリバイについて、はっきりした陳述ができなかった。しかしその後、総監G――の手許に、宣誓供述書を提出して、問題の日の一時間毎について、十分な説明を提供することができた。なんの発見もなく、時間が経過してゆくにしたがって、まるでお互い矛盾するようなデマが、無数に乱れ飛び、新聞記者たちは、記者たちで、めいめいさまざまの思い付きを書き出した。その中でも、もっとも注意を惹いたのは、マリ・ロジェエは、まだ生きている、――セーヌ河で見つかった死体というのは、誰か別の、これも不運な人間の死体だというのだった。そこで、ここに言った思い付きの、やはり主な部分を、読者諸君に、お目にかけるのが、いいだろう。以下は、概して非常な敏腕さをもって鳴る、『レトワール』紙からの逐語訳である。

「ロジェエ嬢は、一八××年六月二十二日、日曜日の朝、表面、デ・ドゥローム街に住む叔母、ないしは身寄りの一人を訪問するということで、母親の家を出た。それ以来、彼女の姿を見たものは、一人もない。彼女の足跡も、消息も、完全にわからない。（中略）今日までのところ、当日、彼女が家を出た後、彼女の姿を見かけたと申し出たものは、一人もない。（中略）目下のところ、六月二十二日午前九時以後、彼女が生存していたという証拠は、なに一つないが、同時に、その時まで生きていたという証拠は、はっきりある。水曜日の正午十二時、ルール関門の河岸に、漂流中の婦人の死体が、発見された。このことは、かりにマリ・ロジェエ嬢が、母親の家を出てから三時間後、河中に投じられたと仮定してみても、家出の時より、わずかに三日――しかも、かっきり三日にすぎない。かりに彼女が殺害されたものとしても、加害者たちが、深夜前に、その死体を河中に投入しえたほど、しかく早々に、この犯行が完了されたものと想像するのは、どうかしている。このような兇悪犯罪を犯すものは、光よりも、むしろ闇を選ぶのを、原則としているからだ。（中略）したがって、もしかりに河上に発見された死体が、マリ・ロジェエ嬢のものであるとしても、それは、わずかに二日半、あるいは精々長くて三日間、水中にあったにすぎない。あらゆる経験の示すところによれば、溺死体、ないしは暴力による殺害後、直ちに水中に投じられた死体が、腐敗によって、水面に浮び上るまでには、六日ないし十日を必要とするもののようである。かりに死体上に向けて、大砲を発射することにより、少くとも五日ないし六日以前に、浮び上ることはあっても、それらは、そのまま放置すれば、ふたたび沈むものである。ここにおいて、吾人の特に借問したい点は、この場合、自然普通の経過に背馳する現象を起させたものは、いったい何であるか、ということである。(中略)もしかりに死体が、殺害されたまま、火曜日の夜まで、陸上に放置されていたものとすれば、これまた河岸上に、なんらか犯人たちの証跡が、発見されたことであろう。また一方、かりに殺害二日後に、はじめて河中に投じられたものとしても、今度は、果してそのように早く、死体が浮上するものかどうか、その点が、やはり疑問になる。加うるに、想像される如き、かかる兇悪犯罪を犯した犯人たちが、死体を沈めるなんらの重錘《おもり》なしに、これを河中に投じるなどということは、それが、きわめて容易に思いつきうる手段だけに、ほとんどありうべからざることだと言わねばならぬ。」

ここで、この論説記者は、さらに進んで、おそらく死体は、「三日どころではなく、少くとも十五日間は、」水中にあったものに相違ない。現に、その腐敗程度は、あのボオヴェエが、辛うじて確認しえたくらいではないか、というのである。だが、この最後の点については、完全に反証が挙った。ところで、もっと翻訳をつづけよう。

「次に、ボオヴェエ氏は、該死体を、疑いもなくマリ・ロジェエ嬢の死体と断定したが、いったいその証言は、いかなる根拠に基づいているのであろうか？　彼は、上衣の袖を切り裂いて、彼女であることを確認しうる、身体的証跡を発見した、と称している。この身体的証跡ということを、世人は、当然なにか傷痕様のものと、想像したのであるが、なんぞ知らん、彼は、ただ腕を擦ってみて、毛髪を発見しただけであるという――これでは、しかし、曖昧も曖昧、――あたかも袖の中を調べて、腕を発見したというのと、少しも変らない。その晩、ボオヴェエ氏は、帰らないで、ただ水曜日の夜七時に、マダム・ロジェエに対して、未だマリ嬢に関する検屍は、進行中なる旨、伝言を送っただけであった。かりに一歩譲って(もっとも、実に大きな譲歩ではあるが)、マダム・ロジェエは、老齢と悲嘆のため、現場に赴くことが不可能だったとしても、もし真実、該死体を、マリ嬢のものと信ずるならば、誰かほかに、現場に行って、当然検屍に立ち会うべきだと考えるくらいのものは、いたに相違ない。だが、事実は、誰も行かなかった。パヴェエ・サン・タンドレ街にあっては、この問題について、なんの話の出た形跡もない。同じ建物の住居人たちですら、なに一つ聞いていないのだ。マリ嬢の愛人並に許婚者であり、現にマダム・ロジェエの止宿人であるサン・トゥスタッシュ氏すら、死体の発見については、翌朝、ボオヴェエ氏が、彼の部屋を訪れて、そのことを告げるまで、一切なにも聞かなかった、と供述しているのである。この種ニュースにしては、まことに冷淡な受け取り方だ、と申さねばならぬ。」

こんな風にして、新聞は、マリ嬢の身内たちの冷淡さを、しきりに強調し、該死体を嬢のものだとする彼らの所見と、はなはだ矛盾、背馳する事柄を、なんとか信じ込ませようとしているのだ。結局、同紙の言おうとするところは、こうだった、――マリは、彼女の貞操に対する非難を避けるために、知人たちの黙認の下に、ことさらパリを、離れたのであって、それら知人たちは、たまたまセーヌ河に、多少、彼女に似た死体が上ったのを幸いに、あたかも彼女が死亡したかの如く、世間に思わせようとしたのだった。だが、この点でもまた、『レトワール』紙は、やや軽率すぎるように思える。つまり、想像されるような冷淡さは、決してなかったという、確かな証拠が、出ているのだ。母親は、実際ひどく弱っていた上に、すっかり気が顚倒してしまって、とうてい、母親としてすべきこともできなかった。それに、サン・トゥスタッシュもまた、ニュースを聞いて、ケロリとしていたどころか、悲しみのあまり、狂乱状態になり、むしろボオヴェエの方で、身内でもあり、知人でもあるある男に、とにかく彼のことを頼んで、例の死体発掘、再検屍の時などは、絶対立ち会わせないようにしたくらいだった。おまけに、これもまた『レトワール』紙の記事によると、死体の再埋葬は、市の公費で行われたとか、埋葬に際しては、やはり家の墓地へ合葬してはという、有利な申し出があったにもかかわらず、家族のものが、にべもなく断ったとか、さらに葬式の時には、家族の者が、誰一人参列しなかったとか、――おそらく、さきに同紙が強調した印象を、いっそう強めるためとは思えるが、とにかくそういったことを、しきりに主張しているのだが、――これまたすべて、反証は十分に挙っている。しかも、さらにその後の論調によると、今度は、ボオヴェエその人に、嫌疑をかけはじめている。即ち、記者は言うのだ。

「ところが、今や、事件の様相は、変って来た。聞くところによると、ある日、マダム・B――なる女性が、マダム・ロジェエ宅を訪問している時に、ボオヴェエが、ちょうど出かけるところだったが、マダム・ロジェエに向って、今日は、憲兵が来るはずだが、自分が帰って来るまで、何事も憲兵に話してはならぬ、すべて自分に、まかせておけ、と言い残して行ったというのである。(中略)目下の情勢では、一切は、ボオヴェエの胸中に秘められているらしい。彼なしには、もはや一歩も進展は不可能であろう。つまり、どちらへ向いても、彼にぶつかるのである。(中略)今回の事件の処置については、なんらかの理由で、彼は、彼以外の何人にも、関与させないという決心らしく、ことに男の親戚たちを敬遠した、そのやり口には、彼らの申立てによれば、きわめて奇怪なものがあったという。とにかく死体が、親戚の者の眼に触れることを、極度に嫌った。」

しかもボオヴェエにかけられたこの嫌疑は、次の事実によって、多少尤もらしくさえなった。というのは、娘の失踪数日前、彼の不在中に、事務所を訪れたある男が、見ると、扉の鍵穴に、バラの花が一輪挿さっており、そばにかかっている小さな黒板に、「マリ」という名が書いてあった、というのである。

結局、諸新聞から集めた限りの印象では、まず彼女は、いわゆるギャングどもの犠牲になったものらしい――つまり、彼らのために河向うへ誘拐され、暴行を受けて殺された、というのだった。だが、また一方では、『ル・コメルシエル』紙――これは、大きな勢力をもった新聞だが――の如く、この世間の通念に、強く反対しているものもある。同紙の所説も、少しばかり引用してみよう。

「捜査の中心が、ルール関門に向けられている限り、遺憾ながら、吾人は、完全に方針を誤っていた、と断ぜざるをえない。被害者の如く、多数の市民に顔見知りの女が、何人の眼にも触れないで、三丁近くも歩くなどということは、とうていありえない。知るほどの者は、ことごとく彼女に、関心をもっていたはずだから、もし見たものがあれば、憶えているはずである。しかも彼女が家を出たのは、街は人出盛りの時刻だった。(中略)ルール関門へ行くにしても、デ・ドゥローム街に行くにしても、少くとも十人やそこらの顔見知りの人間に、逢わないはずがない。しかるに、その日屋外で、彼女を見かけたという証人は、まだ一人として出ていないし、また彼女が外出したということからして、ただ本人が口でそう言ったという以外、なんらの証拠はないのである。被害者の上衣は、裂かれた上に、胴に巻きつけて、括ってあり、それによって、荷物のようにして、運んだらしい。もし殺害が、ルール関門で行われたとすれば、まさかこんな手続きは、必要なかったであろうし、死体が、関門付近に浮んでいたということも、決してそこで投げ込んだという、証拠にはならない。(中略)被害者の下袴《ペチコート》の一部、幅一フィート、長さ二フィートの布片が、裂き取られて、おそらく声を立てさせないためであろうが、それで後頭部から一巻きして、顎の下で結んであった。明らかにハンケチを持たない連中の仕業に相違ない。」

ところが、われわれが、例の総監の訪問を受けた一、二日前に、ある重大な情報が、警視庁に入って、ために、この『ル・コメルシエル』紙の見解の、少くとも重要部分は、完全に覆ったかに見えた。というのは、マダム・ドゥリュックなるものの二人の男の子が、ルール関門付近の森を歩いているうちに、深い繁みの中へ入り込んだ。ところが、そこに、三つ四つ、大きな石が、ちょうど背もあり、足置台もあるという腰掛けのような恰好になっていて、その上の石の上に、白い下袴がのっており、次の石には、絹のスカーフがのっていた。ほかにまだ、パラソル、手袋、ハンケチなども、発見された。ハンケチには、マリ・ロジェエという名前まで、入っている。また周囲の茨の上には、着物の切れ端が、ひっかかっていた。地面は、踏み荒され、小枝は折れ、明らかに格闘の行われた形跡がある。繁みと河との間には、柵の横木が、倒されている部分があり、地面には、なにか重い荷物でもひきずって行ったような跡が歴然とのこっている。

以下は、この発見に対する週刊紙『ル・ソレイユ』の見解だが、――それはまた、全パリ新聞の論調といってもよかった。

「明らかに、これら遺留品は、少くとも三、四週間は、そこにあったものらしい。雨のために、ひどく黴が生え、黴のために、すっかり密着していた。周囲の草は、よく伸びて、遺留品のあるものなどは、すっかり上まで、蔽われていた。パラソルの絹地は、まだ丈夫だったが、内側の糸はくっつき合っており、畳まれて二重になった表側は、すっかり黴び朽ちて、開けると裂けてしまった。(中略)茨に裂き取られた服の布片は、幅三インチ、長さ六インチほどあったが、その一つは、上衣の縁で、繕いのあとがあった。もう一つは、スカートの一部で、これは縁ではない。いずれもちぎれて取れたと見え、地面から約一フィートくらいのところに、茨の藪にひっかかっていた。(中略)したがって、これでまず、この恐るべき兇行の現場が、発見されたことだけは、疑いない。」

この発見からして、さらに新しい証拠が挙った。マダム・ドゥリュックの証言によると、彼女は、ルール関門の対岸、河からあまり遠くないところに、小さな宿屋をやっているのだが、あたりは、とりわけ人目を離れた場所で、日曜日など、ナラズ者たちが、ボートで河を渡って来て、恰好の集り場所になっていた。で、問題の日曜日の午後だが、三時頃、一人の若い娘が、色の浅黒い青年と同伴で、やって来た。しばらく休んで立ち去ったが、帰る時、彼らは、近くの深い森の方へと、歩いて行ったという。なんでもマダム・ドゥリュックは、娘の着ていた服が、亡くなった親戚の娘のによく似ていたので、印象に残ったということだ。またスカーフが、ことに眼についた。ところが、二人が立ち去ってから、まもなく、一団のヤクザどもが現れて、大騒ぎをやったあと、飲み食いの勘定も払わないで、そのまま二人が行ったと同じ道を、消えて行ったが、日暮頃には、また引き返して来て、なにかひどく急いでいる様子で、ふたたび河を渡って、帰って行ったという。

その同じ晩、日が暮れてしばらく経ってから、マダム・ドゥリュックと、その長男とは、宿屋のあたりで、女の悲鳴が上るのを聞いた。けたたましい悲鳴だったが、それは、すぐやんだ。マダム・ドゥリュックは、繁みで発見されたスカーフばかりでなく、死体が着けていた服にも、見覚えがある、と証言した。今度はさらに、乗合馬車の馭者のヴァランスも、その問題の日曜日、マリ・ロジェエが、色の浅黒い若者と一緒に、セーヌの渡し場を渡るのを見た、と証言した。このヴァランスという男は、マリをよく知っているので、決して間違うはずはないという。繁みで発見された遺品類は、マリの親戚たちによって、たしかに彼女のものにちがいないことが、確認された。

デュパン君に言われて、僕が諸新聞から蒐めた証拠並に情報には、なおもう一つ、新しいことがあったが――これがまた、どうやら非常に重要な情報らしいのだ。というのは、上記の着衣類が発見されたその直後、これはまた許婚者であったサン・トゥスタッシュが、死体とはいかないまでも、ほとんど虫の息の状態で、目下ほとんど確実に、兇行の場所と推定されている地点の、すぐ近くで、発見されたのであった。そしてその傍には、「阿片丁幾《アヘンチンキ》」というレッテルのついた罎《びん》が、空になって、落ちていた。しかも彼の呼吸は、明らかに、毒物を飲んだことを示していた。彼は、一言も口を利かないままで、死んでしまった。あとで調べると、一枚の手紙を持っており、それには、簡単に、マリに対する愛情と、自殺する旨とが、述べてあった。

「もはや言うまでもあるまいがね、」とデュパン君は、僕の覚書を読み終ると、言った。

「どうもこれは、あのモルグ街事件などよりは、よほど複雑らしいな。第一、もっとも重大な点で、異っているようだねえ。つまり、残忍は残忍だが、実はごく普通当り前の犯罪なんだ。特に変ったなんてところは、一つもない。ねえ、わかるだろう、そのためにね、なにか容易に解決できるように考えられているんだ。ところが、実はね、そのためにこそ、解決は、困難だと考えなくちゃならないんだがねえ。だもんだから、はじめは、懸賞金も要らないなんて言ってたじゃないか。G——の部下どもはね、こんな風な兇悪な犯罪が、なぜ、またどんな風にして、行われたろうかってことはね、ちゃんとすぐわかるんだ、ね。奴らはね、手口——いろいろさまざまな手口だねえ、——それから動機——これもまた、いろいろさまざまな動機をだねえ、頭に描いてみることはできる。そしてね、それら手口や動機の一つ一つだがねえ、そりゃ、あるいは実際現実の手口や動機でありうることも、可能だということがわかるとだねえ、だからこそ、ぜひともそれらの一つでなけりゃならんって風に、頭から決めてしまうんだよ。ところがね、こうしたいろいろな想像が成り立つ容易さとだね、それから、それらの一つ一つが見える、いかにも本当らしいということだが、そのことこそ、実は、解明の困難さを示すものであって、決して容易さを示すもんじゃないと、考えるべきなんだがねえ。だからこそ、僕は言ったんだ、もし理性というものがね、真実を求めて、模索して行くものだとすればね、それは、なにか常套、陳腐という面から、一歩抜けたものを手掛りにして、するのでなくちゃ駄目だとね。で、今度の事件なども、本当の問題はね、『なにが起ったか？』ということよりもね、むしろ『いったい今まで決して起ったことのない、どんなことが、起っているか?』ということなんだよ。いつか、あのマダム・レスパネェの家の家宅捜索の時などにしてもさ、G——の部下なんてものは、本当に正しい知的能力の働く人間ならばね、まさに成功間違いなしとでもいった卦を見せていたはずの、その異常さを目の前にしてね、これはまたすっかり閉口、まごついてたもんだ。だからしてね、今度の香水屋の娘の場合なども、目の前に見ることは、一つとして、平凡、陳腐ならざるものはない。だもんで、同じ正しい知力の人間ならばね、当然絶望に陥ってしまわねばならぬはずのところをだよ、かえって逆に、この警視庁の連中と来たらね、ただもう、こりゃ占めた、占めた、とばかりなんだよ。

「マダム・レスパネェ母娘の場合はね、捜査のはじめからして、すでに他殺ということは、明瞭だった。自殺なんてことは、最初から考えられなかった。むろん今度の場合もね、自殺ということは、まず最初から、計算外さ。ルール関門で発見された死体はね、この重大な点では、もはや迷う余地がないほど、明らかな状態にあった。ところが、そこへね、あの見つかった死体は、マリじゃないという意見が、出て来たわけだねえ。そこでだよ、あの懸賞金が出てるというのはね、一にマリの殺害ないし加害者たちの摘発に対してであり、また僕らが、総監と一種の提携に入ってるのも、ただマリのことに関してだけなんだな。僕らは、あの総監という男を、よく知っているが、あんまり信用しすぎちゃ、駄目だよ。ところで、かりに僕らの捜査がね、あの見つかった死体を基にして出発してだよ、もしあれが、マリ以外の人間の死体だとわかるとしたら、どうだろう？　また同様にね、マリは生きている、という前提から出発してさ、もし彼女を発見しても、殺されていなければ、どうだろう？——どっちの場合にしても、僕らは、全くの骨折り損なんだよ。なにしろ僕らの取引相手は、あのG——なんだからね。だからね、裁判としては、どうかしらないが、とにかく僕らの目的としてはだね、まず第一に、果してあの死体が、行方不明のマリであるかどうか、それをはっきりさせることが、ぜひとも必要なんだ。

「世間的にはね、『レトワール』紙の論調というものは、非常な重味をもっている。しかもあの新聞自身がね、自家の論調に対して、大いに自信を持っていることはね、今度の問題に対する、ある論説の書き出しを見てもわかる。こう言ってるんだ、『本日の朝刊諸紙は、こぞって月曜付本紙の断定的論説について、触れている。』とね。ところが、僕にはね、その論説が、ただ筆者本人の熱心さ以外、ほとんど断定的だとは思えないんだねえ。いったい新聞の目的というものはね、真実を追求することよりもだよ、なにかセンセーションを起すこと——ただ議論を立てる、ということにあるってことをね、ぜひとも忘れちゃいけない。前者の目的は、ただね、後者の目的と一致するかに見える時だけ、追求されるにすぎない。ただ平凡、普通の世論に同意しているだけの新聞はね、(よしそれが、どれだけ根拠のあるものにしてもだよ)決して衆愚の信用をえるもんじゃない。大衆というものはね、一般世論に対して、辛辣きわまる反対意見を述べる人間だけをだね、さも深遠な人間のように、思い込むものなんだ。文学も、推理も、同じこった。一番直接に、そしてまた一番一般に理解されるものは、警句なんだ。どちらにあっても、実は一番低級な代物《しろもの》なんだがねえ。

「僕の言いたいのは、こういうことなんだ、つまり、マリ・ロジェエは、まだ生きてるって考えね、それを、『レトワール』紙が思いつき、世間もまた、それを歓迎してるってことね、これは、決してそれが、真実らしいからというんじゃなくてさ、ただその中にある警句性と、劇的興味との入り交ったものが、原因なんだ。一つ、この新聞の論調を作っている要素をすべて、吟味してみようじゃないか。

「まず第一に、この筆者の目的はね、マリの失踪から、水死体の発見までの時間が、短いということからして、死体はマリに非ずということを、立証したいんだねえ。そこでだ、この時間を、できるだけ小さくすることが、また同時に、この筆者の目的と見える。ところが、それが性急さの余りにね、最初からすでに、全く単なる仮定論に、陥ってしまっているんだねえ。『かりに彼女が殺害されたものとしても、加害者たちが、深夜前に、その死体を河中に投入しえたほど、しかく早々に、この犯行が完了されたものと想像するのは、どうかしている、』と、彼は言うのだ。僕らは、直ちに、またきわめて当然に、なぜだ？　と反問するねえ。たとえば娘の家出後、五分間以内に、犯行がなされたとして、それが、なぜどうかしているのだ？　その日中の、どんな時刻であろうとも、犯行がなされたと仮定して、なぜ、それがどうかしているのだ？　殺人なんてことはね、どんな時刻にだって、結構起りうるのだ。この犯行が、日曜の朝の九時から、夜の十二時十五分前まで、その間のどの時間に行われようと、結構『深夜前に、その死体を河中に投入』する暇は、あったはずさ。そこで、この筆者の仮説というのはね、結局犯行は、日曜日には行われなかった、――ということになるらしい。だが、もし『レトワール』紙にね、こうした仮説を許すとすればだねえ、あとはもう、どんな勝手でも許さねばならぬことになる。つまり、あの『かりに彼女が殺害されたものとしても、云々』ではじまる一節などはだねえ、なるほど『レトワール』紙面に現われた限りでは、ああだろうとしてもさ、実際筆者の頭の中にあったと思われるものはね、むしろ次のようなことだったんじゃなかろうかねえ。『かりに彼女が殺害されたものとしても、加害者たちが、深夜前に、その死体を河中に投入しえたほど、しかく早々に、この殺害が完了されたものと想像するのは、どうかしている。つまり、すべて右のことを、一方では想像しながら、しかも同時に、その死体は、深夜後まで、投入されなかったなどと想像するのは、たしかにどうかしているのだ。』——いやはや、全く辻褄の合わない文章だがね、それにしても、あの新聞に現われた文章よりは、まだしも幾分ましだろうじゃないか。

「もし僕の目的がだね、『レトワール』紙のこの一節の反駁、ただそれだけにあるというならば、こんなもの、むしろ放ったらかしておいた方が、いいんだよ。だが、僕らの相手は、『レトワール』紙じゃない。真実なんだ。いま問題の文章はね、あのままじゃ、意味は一つしかない。そしてそれを、僕は、はっきりと述べたつもりだ。だが、言葉というものはね、その背後にまで徹しだよ、その言葉が、明らかに意図しながら、ついに伝えなかった意味をまで摑むことが、肝要なんだ。そこで記者諸君の言いたかったことはね、たとえこの犯行が、日曜日の夜昼、どんな時刻に行われたものだとしてもだよ、まさか加害者たちが、死体をね、深夜以前に、河まで運ぶなんて、そんな無茶をするとは、まずあるまい、という点にあるんだねえ。そこなんだよ、僕が、この仮説に不服だという点は。つまり、この仮定ではね、犯行は、ぜひとも死体を、河まで運ばなければならないような場所、そしてまた事情の下で、行われたものと、頭から決めてかかっているのだ。ところが、なんぞ知らん、犯行は、河岸ででも、いや、河上そのものででも、結構やれたはずだし、そうなればまた、一番手近な、一番手取り早い死体処分法として、昼夜いつだって、投げ込むことはできたはずなんだ。誤解はなかろうねえ？　僕はね、なにもこうだろうということを、言ってるのでもなければ、また僕自身の意見が、やはりそうだなどということを、言ってるんじゃ全くない。ただあの『レトワール』紙の論調全体がね、そもそも最初からして、非常に偏頗なものだということだけを、注意しておきたかったんだよ。

「そこで、この新聞はね、こんな風に、ちゃんと自分の先入見に合うように、範囲を限定しておいて、そこからね、もしかりにあの死体が、マリだとすれば、それは、あまりにも水の中にあった時間が、短かすぎるという仮説になる、そして、つづけて論じるのだ。

『あらゆる経験の示すところによれば、溺死体、ないしは暴力による殺害後、直ちに水中に投じられた死体が、腐敗によって、水面に浮び上るまでには、六日ないし十日を必要とするもののようである。かりに死体上に向けて、大砲を発射することにより、少くとも五日ないし六日以前に、浮び上ることはあっても、それらは、そのまま放置すればふたたび沈むものである。』

「この主張は、『ル・モニトゥール』紙を除いて、パリ中のすべての新聞がね、暗々裡に承認しているものなんだ。この『ル・モニトゥール』紙はね、溺死体と覚しきものが、実際『レトワール』紙の主張よりも早い時間に、浮び上ったという五、六の事例を引いてね、それによって、あの『溺死体云々』の一節だけを、反駁しようと努めてるんだ。だが、『レトワール』紙の一般的主張を反駁するのにだねえ、ただそれに反する特殊例を挙げることだけでやろうという、『ル・モニトゥール』紙のやり方にはね、どうも少し非論理過ぎるところがあるようだねえ。かりに五つや六つの例の代りにね、二、三日で浮いたという実例を、五十並べたとしてもだよ、やはりその五十が、ことごとく例外だという風に、考えられても仕方がない、少くとも、『レトワール』紙の言う原則そのものが、論破されない限りはね。つまりこの原則を認める限りは、(そしてそれを、『ル・モニトゥール』紙はね、決して否定していない。ただ例外を主張しているだけなんだ)、『レトワール』紙の主張は、ちっとも効力は失わないわけだ。というのはね、あの議論は、ただ三日以内に浮び上る死体の公算性という問題を、含んでいるだけにとどまってね、それだけのことならば、こんな子供じみた実例の列挙がね、優に反対の原則を確立するに足る数に上るまではだよ、むしろ『レトワール』紙の主張の方が、有利だとさえいえるだろうからねえ。

「そこで、もうわかったろうと思うがね、もしこの点について、議論しようというならばね、それは、あくまで原則そのものに対してでなくちゃならん。そしてそのためにはね、原則の理論的根拠そのものを、検討してみなくてはならぬ。ところで、人間の身体ってものはね、一般に言って、セーヌの水よりも、大して軽くもなければ、重くもない。いいかえれば、人体の比重という奴はね、その自然な状態においては、ほぼそれが排除する淡水の量と、等しいものなんだ。骨が細くて、大兵肥満の男や、一般にいって、女の身体は、瘦せた骨太の人間、ことに男よりも、軽いのが、原則だ。一方、河水の比重は、海からの汐加減によって、多少違って来る。だが、まあ、汐の問題を別にするとだね、たとえ淡水の中でさえ、ひとりでに沈むという人間の身体は、まずないといってもよい。たとえ河に落ちてもだよ、たいていのものなら、もし水の比重と自身の比重とを、うまく平衡させる、——つまりいいかえれば、できるだけ小部分を除いて、たっぷり全身を水に浸すならばだねえ、——これは、まず浮ぶものと決っている。泳ぎのできない人間にとって、一番いい姿勢はね、ちょうど陸上を歩く時のように、真直ぐに立ってさ、頭を十分後に反らせて、すっかり水に浸っている、そして口と鼻の孔だけは、水の上に出していることなんだ。そうすれば、困難もなく、骨折りもいらず、じっと浮んでいられるはずだよ。だが、それにはね、身体の重さと、排除された水の重さとが、実に微妙な形でバランスがとれているわけだから、ほんのちょっとしたことでも、このバランスが破れることは、必定さ。たとえば、腕一つでも、水の上へ出せばね、それだけ支えが失くなるわけで、それがそのまま重さになり、頭は、すっかり沈んでしまうわけだよ。そのかわりまたね、ほんの小さな木片一つでもね、助けができれば、逆に、頭を挙げて、あたりを見廻したりすることもできようというものさ。ところが、泳ぎのできないという人間に限ってね、無闇と両手を振り上げて、踠《もが》きながら、しかも頭は、いつものように、真直ぐにしていようとする。結果は、口も鼻も浸ってしまう、そして水の中で、呼吸をしようとするものだから、勢い、肺の中へ、水が入る。胃の中にも、むろんドッと入る。そうなると、もう全身が、はじめそうした体腔を広げていた空気の重さと、新たに入って来た水の重さとの差だけね、重くなることになり、一般に言って、これだけの差は、もう身体を沈ませるに、十分だと言っていい。だが、ただ骨の細い、よほど異常な脂肪体質の人の場合だけはね、そうはいかなくって、溺れ死んだあとでも、まだ浮いていることもある。

「ところで、一たん河底へ沈んだとなるとね、今度は、なんらかの原因で、その比重がね、排除している水の重さよりも軽くなるまで、そのままじっと、沈んでいる。そして、それを起させる原因が、つまり腐敗作用とか、そういったものであるわけさ。腐敗の結果というのは、まずガスの発生だな。こいつが、細胞組織といわず、体腔という体腔を、ことごとく膨張させてね、あの見るからにすさまじい、膨れ上った形にするわけだよ。ところで、この膨張作用がどんどん進んで、死体の容積ばかりがね、一方に質量ないし重量の増加は、ちっともないくせに、途方もなく増大するとね、その比重が、排除する水より小になり、そうなると、すぐまた水の上に浮ぶというわけだな。だが、この腐敗って奴はね、実に無数の事情によって、変化を受ける――つまり、無数の原因が作用してね、早くなったり、おそくなったりすることがある。たとえば、暑さ、寒さにもよれば水の含む鉱物質の有る無しにもよる。かと思えば、水の深浅もあれば、流れの有る、無しもある。その他、死体の主の体質、死亡前の病気の有る、無しなど、無数にある。と言ったわけでね、死体が、いつ腐敗作用によって浮き上るか？　なんてことは、とうてい精確に決められるものじゃないんだよ。ある種の条件さえ揃えば、一時間内にも、浮き上るかもしれないし、別の事情じゃ、最後までついに、浮ばない場合だってあるわけさ。それに、動物体を、永久に腐敗から防ぐような、化学的注入剤さえある。塩化第二水銀なんてのが、その一つさ。だが、かりに腐敗作用は、別としてもだねえ、胃の中にある、植物性物質の醋酸《さくさん》発酵から起る、ガスの発生という奴が、ありうるわけだし、また事実珍しくないはずさ。（胃ばかりじゃない、原因こそ違うが、ほかの体腔でも、度々起ることなんだが、）そうなると、体腔が広まって、これまた死体浮上の原因になる。大砲発射による効果というのはね、単に振動の結果にすぎないんだ。つまりね、死体が、埋っていた軟泥から離れてさ、それに、ちょうど他の諸条件が、前もってうまく整っているとね、そこで浮き上るということになるか、でなけりゃだねえ、それが、たまたま細胞組織の腐敗部分の粘着力に、打ち克ってね、にわかにガスで、体腔が膨れるということになる場合もある。

「以上、この問題に関する理論をね、残らず目の前に並べてみるとだよ、『レトワール』紙の主張などは、苦もなく検討ができる。同紙の主張は、こうだろう、『あらゆる経験の示すところによれば、溺死体、ないしは暴力による殺害後、直ちに水中に投じられた死体が、腐敗によって、水面に浮び上るまでには、六日ないし十日を必要とするもののようである。かりに死体上に向って、大砲を発射することにより、少くとも五日ないし六日以前に、浮び上ることはあっても、それらは、そのまま放置すれば、ふたたび沈むものである』とね。

「こうなれば、もうこの一節がね、まるで矛盾と撞着の塊りだということは、直ちに明瞭なはずだ。『溺死体』がね、腐敗分解作用によって、浮び上るのに、六日ないし十日を必要とするなんて、一向あらゆる経験が、示してなんぞいやしない。科学から言っても、経験から言っても、それが教えていることはね、浮上の時期なんて、決るもんじゃない、また当然そうでなければならぬ、ということだけさ。おまけに、大砲を射ったために、浮び上ったとしてね、『そのまま放置すれば、ふたたび沈む』なんて、そりゃ腐敗がひどく進んで、発生ガスが、うまく漏出したという場合は別だがね、でなきゃ、どうして大嘘さ。だが、ただ一つ、注意を促しておきたいのはね、あの記事にしてもさ、『溺死体』と、『暴力による殺害後、直ちに水中に投じられた死体』というのを、はっきり区別していることだな。もっともこの筆者はね、せっかく区別を認めながら、やっぱり両方を、同一範疇の中に入れてるんだよ。溺れかかった人間の比重が、同じ容積の水よりも重くなるということ、それから、彼が踠いて、腕を水の上に挙げたり、水の中で呼吸をしようとして、喘いだり、――つまりそのために、もともと空気の入っていた肺の中まで、水を入れてしまうんだがね――そんなことさえしなければ、決して沈むものじゃないことは、前にも言ったろう。ところが、『暴力による殺害後、直ちに水中に投じられた』死体の場合はね、そうした踠きや喘ぎはないわけさ。だから、後者の場合にあってはね、死体は、原則として、決して沈まない――そのことを、『レトワール』紙は、明らかに知らないんだねえ。むろん腐敗作用が、非常に進んでね、――たとえば、肉が多量に、骨から脱落したなどという場合にはね、――沈むだろうが、それまでは、決して沈んでしまうもんじゃない。

「ところで、そうなるとね、あの『レトワール』紙の主張、──つまり、あの死体は、たった三日しか経たないはずだのに、浮んでいたのだから、したがって、マリ・ロジェのじゃないという論法なんだが、いったいこれは、どう解釈したもんだろうねえ？もしかりに溺死だとしたならばだよ、これは、女だから、あるいは沈まなかったかもしれないしね、たとえ一度は沈んでも、案外二十四時間以内に、また浮び上ったかもしれないよ。だがしかし、彼女が溺死したなどと思うものは、誰一人いやしない。してみると、やはり河に投げ込まれる前に、まず殺されてね、その後いつか、時間ははっきりわからないが、とにかく浮いているところを、見つけられたというんだろうねえ。

「ところが、また『レトワール』紙は、こうも言うんだよ、『もしかりに死体が、殺害されたまま、火曜日の夜まで、陸上に放置されていたものとすれば、これまた河岸上に、なんらか犯人たちの証跡が、発見されたことであろう、』とね。ちょっと読んだだけでは、ほとんど筆者の意図を解するに、苦しむものだねえ。まるで自分の理論への駁論をだよ、自ら先廻りして、提出しているみたいなもんじゃないかね、君──つまり、死体を、二日も陸上に置いておけば、腐敗は、いよいよ速くなる──水に浸っているよりも、はるかに速いからね。そこで、彼は考えるのだねえ、もしそれならば、水曜日に浮き上るということも、ありえよう、いや、そうでなければ、浮き上るはずがないから、とね。

ところが、そうなると、今度は急にあわてて、いや、陸上に置いてあったわけではない。というのは、もしそうなら、当然『河岸上に、なんらか犯人たちの証跡が、発見されたであろうから、』と、来るんだねえ。この推論《セクイトゥール》には、多分、君だって噴き出すだろうよ。だって、考えても見たまえ、ただ死体を河岸に、置いておいたからといって、どうしてそれが兇行の証跡を増すことになる？　考えもできないことだろうじゃないか。僕にも、わからない。

「さらに、同紙はつづけるのだよ、『加うるに、想像される如き、かかる兇悪殺人を犯した犯人たちが、死体を沈めるなんらの重錘なしに、これを河中に投じるなどということは、それが、きわめて容易に思いつきうる手段だけに、ほとんどありうべからざることだと言わねばならぬ、』とね。なんという嗤うべき思考の混乱だね！　誰も――いいかね、『レトワール』紙自身もだよ、――発見された死体が、他殺体であることに異論はないんだぜ。暴力の証拠は、あまりにも明らかなんだからね。したがって、この筆者の目的はね、一に、それが、マリの死体じゃないということを、証明しようというにあるのだ。マリは、殺されていないってことが、証明したいんで――あの死体が、他殺体じゃないってことを、証明しようというんじゃないんだ、ね。ところが、先生の言ってることはね、実はあとの方の証明になってるだけなんだ。ここに、重錘のつかない死体があると。で、もし犯人どもが、投げ込んだものだとすればだね、まさか重錘をつけないってはずはなかろう。だから、死体は、犯人の投げ込んだもんじゃないと、こう来るんだ。なにかの証明になってるといえば、せいぜいそれだけのことさ。果してそれが、マリの死体かどうかの点に至っては、ほとんど問題にもなっていないんだねえ。第一、『レトワール』紙自身にしてからがだよ、今さき言ったことを、言った口の下から、まるで汗だくになって、否定しようとしているみたいな恰好じゃないか。『発見された死体が、被害者女性の死体であることは、もはや一点の疑いもない、』と、言うんだからねえ。

「この筆者がね、無意識のうちに、自己撞着の所説を樹てている例はだよ、問題のこの部分だけでも、決してこれだけじゃない。前にも言ったように、この筆者の目的はね、明らかに、マリの失踪から、死体の発見までに至る時間を、できるだけ縮めようということにあるんだ、ね。そのくせ、一方ではね、娘が母親の家を出てからというもの、誰一人、姿を見かけたものがないということを、これまたしきりに強調してるんだ。『六月二十二日午前九時以後、彼女が生存していたという証拠は、なに一つない、』と、先生は言うのさ。先生のこの議論というものは、どうせひどく偏った議論なんだから、それならね、少くともこんな問題は、知らん顔をしてりゃいいんだよ。だって、見たまえ、もし月曜日か火曜日かにだよ、誰か一人でも、マリを見たというものが出てみたまえ、当然問題の時間は、一挙に短縮されるわけだしさ、それに、先生の立論からいえばだよ、あの死体が、マリのもんじゃないってことは、一そう確実になるわけだもんねえ。ところが、面白いじゃないか、『レトワール』紙の奴と来たらね、すっかり全体の議論を推し進めるつもりでね、実は完全に逆効果のこの点を、しきりに主張しているんだからねえ。

「ところで、次はね、ボオヴェエのやった死体検証に触れているところだが、もう一ぺん読んで見たまえ。例の腕の毛についてだが、明らかに、『レトワール』紙のは、陰険なやり口だと思うなあ。ボオヴェエだって、まさか馬鹿じゃないんだからね、ただ腕に毛があるからって、それだけで、マリの死体だと断定するなんて、そんなことあろうはずがないじゃないか。毛のない腕なんて、ありっこないんだからねえ。要するに、『レトワール』紙の一般的な書き方はね、証人の言葉を、故意に歪めたものにすぎないんでね。おそらくボオヴェエの証言は、なにかその毛についてね、変った特徴を言ったものにちがいない。たとえば、色とか、量とか、長さとか、またその生えている場所とかについて、なにか特徴のある点を挙げたものにちがいないんだ。

「また『レトワール』紙は、こんなことも言ってるんだ、『被害者の足は、小さかった、と言うが――小さい足くらいは、いくらでもある。靴下留《ガーター》も、――そして靴も、これまたなんの証拠にもならない。――そんなものは、大量に売っているからである。帽子の花飾りについても、同様であろう。――そんなものは、大量に売っているからである。帽子の花飾りについても、同様であろう。またボオヴェエの強調する一つの証拠は、靴下留を縮めるために、釦金《とめがね》が逆に動かしてあった、ということだが、これまたなんの証拠にもならぬ。なんとなれば、大抵の婦人客は、自宅へ持って帰ってから、めいめいの腿の太さに合せて、調節するもので、買い求めた店先で、そんなことをするものではないからである、』とね。だが、こうなると、ほとんど筆者の真面目さそのものを、疑いたくなるねえ。ボオヴェエにしてみればだよ、マリの死体を捜していてね、もし全体の身体つき、大きさの点で、当の娘に似たような死体を発見したとすれば、どうだろう、(なにも服装のことなど、考えるまでもなく)てっきりそうだ、と思い込むのは、当然だろうじゃないか。しかもおまけに持って来てね、生きてた時見覚えのある、一種特徴のある腕の毛まであったとしたら、どうなる? 一そう確信を強めるとともにだよ、さらにその毛の特徴というか、変り工合というか、それまでわかってくればね、いよいよ自信がついて来ようというのは、当り前じゃないか。さらにだよ、マリの足も小さかった、死体の足も小さかったと、ここまで来りゃ、もうマリだという公算はね、単に算術級数どころの増し方じゃない。どうして幾何級数式の累進振りだったろうことは、不思議じゃない。さらにそこへもって来てだよ、靴も、失踪の朝、履いて出たのと同じだと来ればね、そりゃなるほど、靴なんてものは、いくらでも『大量』に売ってるかもしれないがさ、だろうが、いよいよちがいないになるくらいは、当り前のことじゃないか。それだけ切り離したんじゃ、証拠にもなにもならないものでもね、ちゃんと裏づけの位置に置かれると、絶対確実な証拠になるということもある。それに、次は、帽子の花飾りだ、こいつがまた娘のそれと同じだとなりゃ、あとは、もう詮索するまでもない。ねえ、たった一輪の花だってもさ、あとは、もう詮索するまでもないんだよ、――してみると、それが、二つになり、三つになり、いや、もっとそれ以上になったとしたら、どうだ?一つ一つが、いわば倍率の証拠になるんだからね――つまり、足し算じゃない、掛け算も掛け算、何百倍、何千倍という掛け算なんだ。しかもその死体にはね、まだ娘が生前使っていた靴下留までついていた。そうなれば、もうそれ以上行くのは、馬鹿に近い。おまけに、その靴下留はね、マリが、家出すぐ前にしたと同じように、釦金を動かして、短くしてあったとする。これをさえ疑うのは、もう気狂いか、偽善者だよ。そいつを、まだ『レトワール』紙が疑ってね、そんなことは、普通有り勝ちのことだ、と言っているのに至ってはね、いかにその謬見の救い難いかを証して、余りあるものだろうじゃないか。そもそも釦金付き靴下留というものがね、そのままでも伸縮の弾力をもっているということを考えるとだねえ、その縮めてあることこそ、変だ、普通じゃない、ということの証拠であるはずじゃないか。自然に調節のできるようになっているものを、わざわざ別に動かして縮めるということは、よくよくなにか必要があってのことに相違ない。だからね、もしマリの靴下留が、言われるように、縮めてあったとすれば、それこそ厳密に言って、よほど偶然の場合だったにちがいない。そのことだけでも、マリの死体だと断定する、十分な証拠だったに相違ないのだ、ね。が、もっと大事なことはね、死体に、その娘の靴下留がついていたということでもなければね、靴、帽子、そして帽子の花飾りがあったということでもない。また足の小さかったこと、腕にあった特徴、全体の身体つき、大きさでもない、――むしろそうしたことが、一つ残らず、一緒になって、死体に関して発見されたということなんだ。事ここに至ってもまだね、『レトワール』紙の論者が、疑問を抱くというなら、これはもう改めて精神鑑定《デ・ルナティコ・インクイレンド》などいらないねえ。要するに奴は、法律屋どもの、下らない口真似をすることをもって、聡明と心得てるんだよ。そもそも法律家なんてものは、たいていね、お定まりの法廷用語を口拍子に唱えてりゃ、それでもう能事了れりと思ってる奴らなんだ。だから、僕は言うんだが、法律で却下される証拠品の大部分というものがね、ちゃんと知恵のある人間から見れば、逆に第一等の証拠品なんだよ。というのは、法廷という奴はね、ただ証拠というものの一般的原則――つまり、一般に認められた、書物の上での原則だが――それからね、たとえどんな特殊な場合であろうと、外れることをしないんだな。むろんこうした、頑固な原則主義、そしてそれと相容れないような例外は、容赦なく斥けて行くという主義、こいつが長い眼で見ればね、到達しうる最大限の真実に至る、もっとも確実な方法だってことは、たしかに間違いないねえ。だから、このやり方ってものはだねえ、全体としては、たしかに理論的さ。だが同時に、個々の場合についてはね、途方もない謬りを生じることも、事実だねえ。

「それから、ボオヴェエについて、とやかく言われていることについちゃ、君は、一言の下に斥けるだろうねえ。あの男の人柄については、君も、もうよく知ってるはずだ。浪曼的なところがかなりあって、だいぶ知恵の方は足りない、要するにお節介屋さんなんだよ。ああいった人間に限って、なにか本当に興奮して来るとね、詮索好きの人間や、悪意のある人間の眼から見るとね、まるでわざわざ疑いを招いているような行動をしたがるものなんだよ。(どうも君の蒐めてくれたノートを見るとね、)ボオヴェエの奴、『レトワール』のその記者と、直接会ったらしいな。そして記者先生の主張にもかかわらずね、死体は、あくまでマリだと言い張って、どうも相手を怒らせたものらしい。『彼は、死体の主がマリなることを、あくまで主張しているが、しかも吾人が右に論評せるもの以外、なに一つ、他人を納得せしめるに足る状況を挙げ得ないのである、』と、こうあるんだがね、ところが、もうこれ以上に『他人を納得せしめるに足る』有力な証拠なんて、挙げられるはずもないことは、しばらく措くとしてもだねえ、こうした場合、人間ってものはね、なにも相手を納得させるだけの理由は、なに一つ出せなくともだよ、自分だけは、ちゃんと、そう信じているって場合だって、いくらもあるだろうじゃないか。いったい人間に関する印象くらい、あいまいなものはないんだ。誰だって、隣りの家の人間を見りゃ、わかる。だが、それだからといって、なぜわかるか、その理由を言えと言われて、ちゃんと言える場合なんて、ほとんどありゃしない。ボオヴェエの信じていることに対して、いくら理由が挙げられないからといって、『レトワール』の記者に、怒る権利はちっともないんだよ。

「ボオヴェエをめぐって、なるほどいろいろ不審な事情があるという、だが、それらはね、だから臭いというこの論者の説よりも、むしろ浪曼的なお節介屋という僕の仮定の方に、はるかによく符合するものだと思うんだ。一応もっと寛容な解釈を採って見たまえ、そうすれば、あの鍵穴のバラの花だって、石板の『マリ』という文字だって、『男の親戚を敬遠した』ことだって、『死体が彼らの眼に触れることを、極度に嫌った』ことだって、また彼が帰って来るまで、憲兵と口を利いちゃいけないと、マダム・B

――に言ったことだって、それから最後には、『事件の処置については、彼以外の何人にも、関与させない』つもりだったらしい態度だって、みんな、ちゃんとわかることなんだよ。ボオヴェエが、マリに惚れてたということ、マリの方でも、彼に相当媚態を示してたらしいこと、それから彼としてはだねえ、自分がマリから、さも十分な親愛と信頼とを受けているかのように見せかけたがっていたこと、そういったことは、もはや問題ないと思うんだ。だから、このことは、もうこれ以上言わない。ところで、もう一つ、『レトワール』紙がしきりに言う、母親や、その他の親戚の者どもが、ひどく冷淡だったということなんだがね、――なるほどこいつは、もし死体が、あの売子だったとすれば、たしかに矛盾であることにちがいないがね、――これはもう、ちゃんと反証が挙っているわけさ。だから、僕らはね、もう死体確認の問題は、完全に解決したものとして、考えて行こうじゃないか。」

「じゃ、いったい、」と、ここで僕は、口を挟んでみた。「『ル・コメルシエル』紙の見解についちゃ、どうなんだね？」

「うむ、あれはね、精神においては、この問題について発表された、どの見解よりも、注目に値するものだと思うねえ。前提から演繹して行く筋道も、実に理論的で、鋭いがね、ただどうも前提自身がね、少くとも二つの点において、不完全な観察に基づいているように思えるんだねえ。『ル・コメルシエル』紙はね、マリが、母親の家を出て間もなく、ゴロツキどものギャングに捕まったということを、言いたいらしいんだねえ。で、『被害者の如く、多数の市民に顔見知りの女が、何人の眼にも触れないで、三丁近くも歩くなどということは、とうていありえない』と、いうんだよ。だが、これはね、永年パリに住む、なにか公人で——しかも、その歩く範囲がだね、主として官庁、事務所の近所に限られているという、そういう人の考え方だよ。つまり、彼の場合にしてみればだね、自分の役所から、ものの十丁も出歩いて見たまえ、まず誰か知ってる人間に出会って、声を掛けられるに決っている。そういったわけで、彼が知っている他人の範囲、また彼を見知っている他人の範囲、それらを、ちゃんと心得ているものだからね、そこで彼自身の顔の広さと、その娘の顔の広さというものを、すぐ比べてみる、そして、まずたいてい同じようなものにちがいない、と来るんだねえ。そうなると、もう今度は、娘だって出て歩けば、きっと俺くらいは、顔見知りの人間に会うにちがいないという、その結論まで、もう一足なんだ。ところが、このことはね、もし彼女の外出が、彼と同じように、ちゃんと一定不変に決っており、そのまた範囲もね、同じ限られた区域に決っているということがあって、はじめて言えることなんだからねえ。つまり、彼の場合は、一定地域を、毎日一定の時を決めて、往復しているわけさ。しかもそこには、職業の類似ということからもね、なにかと彼の姿に注意しそうな人間ばかり、ウヨウヨ集っているわけだろう。ところが、マリの外出と来た日には、たいていまあ、漫々然たるものだと思って、いいだろう。ことに、今度の場合などはね、まずどう見ても、ふだん通り慣れた道筋とは、よほど違った道を行ったものに相違ない。で、『ル・コメルシエル』紙が、考えていたにちがいないと思える対比《パラレル》はね、もしこの二人の人物がだよ、パリ全市を歩き廻るというのなら、そりゃいかにも成り立つかもしれない。その場合にはだねえ、もし両者の知人の数を、等しいと仮定すれば、その出会の数も等しくなるという、公算もまた等しいわけだからね。で、僕の意見としてはだよ、マリが、ある所与の時刻に、彼女の家と叔母の家とをつなぐ、沢山ある道筋のどれか一つを通って行って、しかも顔見知りのもの、見知られているもの、そのどちらにも、誰一人会わないですんだろうということは、単に可能なばかりか、むしろ大いにありえたろうと思うな。つまり、この問題を、十分正しく考えるためにはね、一方にはパリ市全人口という奴と、それに比べればね、いかに有名人たりといえどもね、その個人的知人の数なんてものは、実に知れ切ったものだということを、常に頭に置いとかなくちゃ駄目だねえ。

「ところで、これでもまだあの『ル・コメルシエル』紙の主張にだねえ、多少の説得力は残っているかもしれないがね、しかしそれも、あの娘の家を出た時刻を考えるとだねえ、はるかに弱いものになって来るはずだね。『彼女が家を出たのは、街は人出盛りの時刻だった』と、同紙は書いているのだがね、ところが、これは、絶対に違う。朝の九時だぜ。そりゃ日曜日を除《の》けて、週日の朝九時なら、なるほどパリの街は、人で雑沓しているよ。ところが、日曜の九時と来ちゃね、市民たちは、たいてい、教会行きの支度で、家にいる時刻なんだ。少し注意深い人間ならね、安息日の朝の八時頃から十時頃までといえば、いかに街々が妙にひっそりしているか、きっと気がついているはずさ。十時から十一時にかけては、たしかに雑沓するが、問題になっているような早朝じゃ、決してそんなことはないはずだ。

「それに、まだもう一つね、『ル・コメルシエル』紙の所論には、重大な観察の手落ちがある。『被害者の下袴の一部、幅一フィート、長さ二フィートの布片が、裂き取られて、おそらく声を立てさせないためであろうが、それで後頭部から一巻きして、顎の下で結んであった。おそらくハンケチを持たない連中の仕業に相違ない』と、言うのだがね。果してこの判断が、十分な根拠に基づくものであるか、どうかは、あとで触れることにするとしてさ、ここで、『ハンケチを持たない連中』と言ってるのはね、おそらく最下等のナラズ者という意味なんだろうねえ。ところがだよ、最下等のナラズ者こそ、実はね、たとえシャツは着なくとも、ハンケチだけは、必ず持っているという人間なんだよ。君なども気がついてるはずだと思うが、近頃、どうもハンケチという奴はね、悪党にとって、絶対不可欠の持ち物になったらしいね、君。」

「じゃ、君、『ル・ソレイユ』紙の批評は、どうだね？」

「ありゃ、どうもあの記者先生、オウムに生れて来なかったのが、実に残念千万ってもんだねえ、――それなら、実に第一等、第一流のオウムってことになってたろう、と思うんだがねえ。あれは、君、今まで発表された見解を、ただ一つ一つ繰返したというだけのもんじゃないか。あちこちの新聞から、実に感心に値する勤勉さでもって、ただ集めて来たね。『明らかに、これら遺留品は、少くとも三、四週間は、そこにあったものらしい。したがって、これでまず、この恐るべき兇行の現場が、発見されたことだけは、疑いない』と、おっしゃるんだが、この『ル・ソレイユ』の再説記事に至ってはね、少くとも僕に取っちゃ、この問題に対する疑問を、ちっとも解決してくれるものじゃない。で、この点は、他の問題と関連してね、あとで、もっと詳しく、検討してみよう。

「ところで、さしあたってはね、もっと他に調査をしてみなくちゃならない問題があるんだ。第一、検屍ってのが、ひどくお粗末だったことは、気がついてるだろう。なるほど、死体が誰のかってことは、すぐ決ったし、また当然そうあるべきだったろうね。

だが、それには、ほかにもっと確かめるべき、いろんな点があったと思うんだ。たとえば、なにか持ち物で奪られているものはないだろうか？　家を出る時、被害者は、なにか宝石でも、身に着けて出なかったろうか？　だとすれば、死体発見の時、それが残っていたろうか？　こうした問題はね、証拠調べで、全然触れられていないのだが、重要な問題だと思うな。そのほか、まだ同じように重大な問題が、いくらもあるが、全然注意を払われていないのだ。これらの点は、納得のいくまで、僕ら自分で調査してみなければならない。サン・トゥスタッシュの件なども、もう一度再調査の必要があるね。僕は、別にこの人物を疑ってるわけじゃないがね、調べるだけは、ちゃんと調べておかなくちゃいけない。あの日曜日のアリバイについての供述書なども、一点疑点の残らないまでに、確かめておかなくちゃいけない。こうした供述書なんてものは、とかくゴマカシになり易いものなんだ。もっともその点にさえ、誤りがなければね、サン・トゥスタッシュの件は、もう問題外としていいだろうねえ。ただ問題は、あの自殺だが、しかしそれとてだねえ、もし供述書に虚偽でもあれば、嫌疑を深めるわけだろうが、そうでもなければ、決して説明のつかない問題じゃないしね、そのために、わざわざ通常の分析方針から、逸脱しなけりゃならんほどのことはない、と思うねえ。

「ところで、いま僕のやろうという調査じゃね、この惨劇の内部的諸問題は、一切お預けにしようと思う、そして、もっぱら事件の周辺に、注意を集中するんだねえ。こうした犯罪捜査に関して、いつも起る大きな誤謬の一つはね、調査を、ただ直接、当面の問題だけに限ってね、間接、付随の出来事は、一切すべて無視してしまうことなんだな。証拠や弁論の範囲をね、ただ一見関係のありそうな限界ばかりに限ってしまうという、これが普通、法廷の間違った習慣なんだよ。ところが、実際の経験はもちろんだし、真の論理からいっても、そうなんだがね、真実というものの大部分はね、一見無関係のように見えるものから、現われて来るんだよ。近代化学がね、あの予見されないものを予想する、ということをやるのはね、字義通りではないにしても、精神は、どこまでも、この原理によるものなんだ。だが、君には、まだよくわからないだろうねえ。いったい人間知識の歴史がね、連綿として示していることはだよ、もっとも価値ある幾多発見というものがね、たいていは、間接的、付随的、ないし偶発的な出来事に基づいているということなんだ。だもんで、今じゃ、なにか将来の進歩を期待するとすればだね、普通予想の範囲からは完全に外れた、むしろ偶然によって生れるような発明をだねえ、多少どころか、大々的に考えておく必要があるというところまで、とうとう来ているんだよ。ただ過去の事実という基礎の上にね、あるべき未来の幻を築くことは、もはや理論的とは言えないのだ。偶然ということが、基礎構造の一部として、ちゃんと入っているのさ。

いわばチャンスというものを、絶対予測の問題にしているんだねえ。予見されざるもの、想像されざるものをね、ちゃんと、学校の数学的公式によって律して行こうというのだねえ。

「繰返し言うが、あらゆる真理というものがね、その大部分は、間接的なものから生れるということは、ほとんど事実以上の事実なんだねえ。で、今度の事件も、僕は一つ、この事実に含まれている原則の精神に従ってね、今まで調べ上げられて、しかもなんの効果もなかった事件そのものよりもね、事件をめぐる当時の情況といったものの方に、探索の方向を換えようと思うんだ。で、君に、あの供述書の信憑性を確かめてもらう間にね、僕は一つ、新聞紙をね、君にやってもらったよりも、もっと広汎に調べてみてやろうと思うんだよ。これまで僕らの点検したところはね、要するに、すでに調査された範囲にすぎない。だが、ここで僕の言うようにだね、あらゆる新聞を、一つ残らず調べ上げるとしてみたまえ、それで、なにかごく小さなことだが、改めて探索の方向を、決定してくれるような問題が、出て来なかったら、出て来ない方が、不思議だねえ。」

デュパン君の提案にしたがって、僕は、供述書の内容を、一々丹念に当ってみた。その結果、それがきわめて信ずべきものであることもわかったし、同時に、サン・トゥスタッシュの無罪であることも、判明した。が、その間に、デュパン君は、実に丹念に、ほとんど僕などには、無意味と思われるくらいの入念さで、あらゆる新聞の綴込みの調査に没頭していた。そして、一週間ほどすると、僕の前に、次のような抜き書きを、出して見せた。

「三年半ばかり前だが、やはりマリ・ロジェエは、パレェ・ロワイヤールなるル・ブラン氏経営の香水店から失踪して、全く同じような騒ぎを起したことがある。もっとも、その時は、一週間ほどすると、いつもとは多少顔色が悪かったという以外には、なんら平生と変った様子はなく、持場の勘定台に、ふたたび姿を現わした。ル・ブラン氏並に母親の言うところによれば、ただある田舎の知人の許へ、遊びに行っていたのだとのことであり、事件は、まもなく完全に忘れられた。吾人は思うに、今回の失踪もまた、同様の気紛れであり、一週間か、ないしは一月もすれば、ふたたび帰って来るものと思われる。」――『夕刊新聞』、六月二十三日、月曜日。

「昨日の一夕刊新聞は、前にもロジェエ嬢の謎の失踪事件があったことを、報じている。ル・ブラン氏の香水店からの失踪中、彼女が、ある身持ちの不良をもって鳴る青年海軍士官と一緒であったことは、周知の通りであるが、両人の間に喧嘩が起り、そのために、彼女はふたたび帰宅したものらしい。目下この色魔は、パリ在勤中であり、その名も判明しているが、理由は、今さら言うまでもなく明らかであると思うが、とにかく一応預っておく。」――『ル・メルキュール』紙、六月二十四日、火曜日朝刊。

「一昨日、当市近郊において、最も兇悪な暴行が行われた。夕方頃、妻娘同伴の某紳士が、たまたまセーヌ河岸近くでボート遊び中の青年六人に金を与えて、河を渡してもらった。渡り終って、三人の者は下船し、やがてボートの見えなくなる地点まで行ったところで、娘がボートにパラソルを忘れて来たことに気がついた。早速取りに引っ返したところが、彼女は、この一団に捕まり、河上に連れ出された上、猿轡をはめられ、散々暴行を受けた揚句、結局最初両親たちと共に上船した地点から程遠からぬ河岸へ上陸させられたのである。目下暴漢どもは逃走中なるも、警察は彼らの行方を追跡中であり、少くも一部は近日中に逮捕の見込み。」――『朝刊新聞』、六月二十五日。

「今回の兇行について、本社はそれがムネエ氏の犯行なる旨の報告を一、二通受け取ったが、同人は、すでに訊問の結果、無罪なることは十分証明済みのものであり、且つそれら報道員たちの論拠は、単に熱心であるだけで、別に深い根拠はなきもののようなる故、これはむしろ発表しない方が適当と考える。」――『朝刊新聞』、六月二十八日。

「本社は、それぞれ別人の筆になると覚しき、強硬なる意見の投書数通を受け取ったが、それら投書のしきりに強調せるところよりすれば、不運にもマリ・ロジェエ嬢は、日曜日に市近郊を横行、悪事を働く多数不良団のいずれかによって、犠牲となったことは、ほとんど疑いを容れないようである。本社の見解も、この仮説を全面的に支持するものであり、それら推測のあるものについては、いずれ紙上に紹介するつもりである。」――『夕刊新聞』、六月三十一日、火曜日。

「月曜日のことである、税務局関係の艀《はしけ》の船頭の一人が、セーヌ河を浮流する一艘の空ボートを発見した。帆は船底に横たえたままになっていた。船頭は、艀事務所の下まで曳航しておいたが、翌朝、事務所員の知らないうちに、何処ともなく持ち去られていた。舵だけは艀事務所に取ってある。」――『ラ・ディリジャンス』、六月二十六日、木曜日。

ところで、これら幾つかの抜萃を読んでみたが、どうも僕には、お互いに一向無関係のことばかりに思えるばかりか、どう考えてみても、問題の事件に関わりありそうなものは、一通も見つからなかった。僕は、黙ってデュパン君の説明を待った。

「この第一と第二の抜萃についてはね、今のところ詳しく説明するつもりはない。こいつを写し取ったというのはね、ただ驚くべき警察の怠慢振りを御紹介しようと思ったにすぎない。警視総監の口占から察したところじゃね、ここに出ている海軍士官を調べてみる手一つ、全く打ってないんだからねえ。ところが、マリのあの再度にわたる失踪事件だが、その間に全く関連は考えられないなんて、およそこれくらい馬鹿げた言い分はないやねえ。かりにどうだ、最初せっかく駆落ちまでしたもののね、二人の間が喧嘩になり、裏切られた方が、そのまま家に戻って来たと考えたらどうだね。すると、こういうことも考えられるわけだね、今度の駆落ちというものは、(むろん、もう一度、またしても駆落ちしたものとしての話だがね)なにも別の人物が現われて、新しく言い寄ったというよりもね、むしろさきに裏切った男が、またしても交情を暖めて来たという風に見られなくもない――つまり、新しい恋愛がはじまったというよりはね、またしても焼棒杭に火がついたとも見られるわけさ。一度一人の男と駆落ちした女に、また別の男が駆落ちを持ちかけるというよりはね、なんといっても一度一緒に駆落ちした男が、ふたたびまた同じことを言い出すって方が、大いにありうる場合だからね。そこで僕は、次の一事にぜひとも注意してもらいたいんだ、つまり、はっきりわかっている最初の駆落ちとね、それから二度目の、どうもそうじゃないかと思える駆落ちとの間の時間がだよ、ちょうどわが海軍軍艦の通常一航海の時間に、せいぜい二、三月多いだけなんだ。そこで、そのマリの情夫はだねえ、最初の時は、出航時間に迫られて、心ならずも兇行が行えなかったもんでね、今度は帰って来るや否や、その実行できなかった――少くとも彼の手では実行できなかった同じ悪計をだねえ、機会を狙って、直ちに実行したんじゃあるまいか？　ところがだよ、そういう問題になると、今のところ全然なにもわかってないんだねえ。

「むろん君は言うだろう、想像される二度目の駆落ちなんて、そんなものは全然なかったことだとね。なるほど、なかったかもしれない——だが、それなら計画はしたが、ただうまくいかなかったのだということも言えないだろうかねえ。サン・トゥスタッシユとボオヴェエのほかには、今のところ天下晴れて公然たる、そしてちゃんとしたマリの求婚者というものは、まだ一人も出て来ていない。この二人以外の人間については、まだなにも話は出てないんだよ。してみるとだねえ、親戚のもの、（少くともその大部分のものはだよ）なんにも知らないで、しかもその日曜日の朝、マリと逢っているという男、——マリの方は、よほど安心し切っていたらしい、だって、すっかり日が暮れてしまうまで、あんな淋しいルール関門の森の中に一緒にいたんだからね、もう一度いえば、少くとも親戚のものの大部分は、なんにも知らないというこの秘密の恋人とは、いったい何者なのだ、と僕はいいたいんだ。それからまたマリが出て行った朝、『もうあの子にも、二度と会えまい』と言ったというマダム・ロジェエの奇怪な予言は、いったいどういう意味なのだ、ということもね。

「まさかマダム・ロジェエが、駆落ちの計画を内々知らされていたとも考えられないがね、少くともマリが、駆落ちのことを考えていたとは、想像できないものだろうかねえ？　家を出る時に、あの女は、これからデ・ドゥローム街の叔母の家へ行くからといい、暗くなったら、サン・トゥスタッシュに迎えに来てくれるように、とまで言ってるんじゃないか。ところでこのことは、ちょっと見ると、さっき僕の言ったことと、はなはだ矛盾するように聞えるかもしれない、——だが、そこだ、考えて見給え。あの女が、たしかに誰か連れと逢って、一緒に河を渡り、午後の三時という遅い時間にルール関門に着いていることは、明らかなんだよ。ところが、その男と一緒に行くということを承知した時にだねえ、（それがどんな目的でだか——またそれを母親に言っていたか、いないか、それは知らんが、）いずれにしても家を出る時、彼女がはっきり言った行先のこと、それからまた婚約者のサン・トゥスタッシュが、ちゃんと約束の時間にデ・ドゥローム街へ迎えに行ってみると、彼女がいない。しかもこの驚くべき知らせをもって、下宿《パンション》へ帰ってみると、依然彼女は帰宅していないことを知らされる、その時に彼の心の中に、どんな驚き、どんな疑いが起るだろうくらいのことは、まさか思い浮んだはずだろうねえ。きっと考えたにちがいない、と言いたいんだ。サン・トゥスタッシュの失望、みんなのものの疑いくらいは、予想したはずだと思うんだ。帰って、この疑いと闘うということまでは、考えることができなかったかもしれない。だが、もしあの女の方で、てんではじめから帰るつもりがなかったと仮定すれば、そんな疑いなど、彼女にとっては、問題にもなにもならなかったということになるんじゃないか。

「で、僕らとしては、こんな風に彼女は考えたんじゃないか、と想像するんだな、――『わたしは、これから駆落ち、でなくともとにかくわたし以外誰にも知らせてない目的で、ある人に逢うのだと。それには、なんとか邪魔の入る機会のないようにしておかなければならぬ、――追手を遁《のが》れるだけの時間の余裕を、十分取っておかなければいけない、――それにはまず今日は、デ・ドゥローム街の叔母の家を訪ねて、一日いるつもりだという風に言っておく、――それからサン・トゥスタッシュには、暗くなるまでは迎えに来るなと言えばよい、――こうしてさえおけば、かりにわたしが、長い間家を留守にしていても、別に疑われることも、心配をかけることもなく、ちゃんと立派に説明がつくだろう。そしてわたしの方としては、他のどんなやり方よりも、たっぷり時間が稼げるわけ。サン・トゥスタッシュには、暮れてから迎えに来てくれるように言っておけば、大丈夫その前に来ることはなかろう。これで全然迎えを頼まないとすると、わたしの帰りをもっと早いと思って、帰りがおそいと、それだけ早く心配をしだすに決っている。と、それだけ逃げるための時間も、少くなる道理。これがもし帰るつもりなら、――つまり問題の男との道行が、ただほんの散歩だけというのだったら、サン・トゥスタッシュに迎えを頼むなど、そんな拙い手は誰が打つものか。というのは、迎えに来ればわたしが彼を欺《だま》したことは、てきめん曝《ば》れるに相違ない、——そんなことをするよりも、彼にはなんにも言わないで家を出て、暗くなってから帰り、デ・ドゥローム街の叔母の家に行っていたとさえいえば、そんなことは永久に秘密にすることもできるわけだからだ。ところがわたしの場合は、もう二度と、——でなくとも少くとも何週間かは、——いや、なんとかうまい隠れ家ができるまでは、決して帰らないつもりだから、さしあたり考えるべきことは、ただ一つ、時間を稼ぐことだけなのだ』という風にね。

「ところでこの傷ましい事件について、世間一般の考えというものはね、最初からして、娘はある種の無頼漢仲間の犠牲になったのだということに、終始一貫していた、そのことは、君の覚書にもちゃんと出ている通りさ。この世間一般の考えというやつも、なるほどある条件の下では、決して馬鹿にできない。ことにそれが、ひとりで現われて来るような場合——つまり、いいかえれば、厳密な意味で自発的に現われて来るような場合、これは、たしかにあの天才人の特質ともいうべき直感の働きに似たものとして、尊重しなければならない。僕なんぞも、百中九十九までは、その判定に従うね。ところが、それには、かりにも暗示らしいものの証跡が、完全に見られないということが大事だね。意見そのものが、厳密に大衆自身の判断でなければならない。しかもはっきりそれを区別し、そしてそれをどこまでも見失わないということは、しばしば極度に困難なわけだな。そこで今度の場合だが、どうもこのギャング団云々という『一般世間の見解』なるものにはね、僕のこの抜書の第三、ここに詳述されている傍系的事件が、だいぶ入り込んで来ているような臭いがするんだね。若くて美人だという評判娘マリの死体が上ったということで、パリ全市はすっかり興奮してしまっている。しかもその死体というのが、はっきり暴行の跡をのこしたまま、河の中に浮んでいたという。ところが、今じゃその一方でね、ちょうどマリが殺されたとおぼしいその時刻、いや、少くとも、ほとんど同じ時刻にね、程度こそそれほどじゃないが、とにかく彼女が受けたと同じような暴行を、やはり無頼の青年たち一味が、別の若い女性に対して加えた、という事実が明るみへ出て来たわけだねえ。とするとだよ、一つの既知の兇行事実がだね、もう一つのまだわからない兇行事実に対する、世間一般の判断に影響を及ぼすということは、むしろ当然だろうじゃないか。いわば判断が、方向を与えられるのを待っていた。ところへ、このわかった暴行事件なるものが、まさに待っていたもののように、それを与えてくれた！　マリの死体も、河の中に浮んでいた。しかもこの暴行事件は、まさに同じその河で演じられたわけだ。こうなればもう二つの事件のつながりは、明々白々というもの、世間がそれを認め、それを捉えなかったとしたら、その方がよっぽど不思議というものじゃなかろうかね。ところがだよ、事実はね、一つの兇行が明らかにそんな風にして行われたということはね、強いて証拠といえばむしろ反対の証拠、つまり、ほとんど同時に行われたもう一つの兇行の方はね、決してそんな風にして行われたんじゃないという証拠なんだ。かりに一組のギャングがだよ、ある場所で、前代未聞ともいうべき兇行を行っている時にだね、もしもう一組同じようなギャングが、同じ市の同じような場所、しかも手段方法も同じなら、時刻も同じ、犯行の性質まで判で押したように同じという兇行をやったとすればだねえ、これは、むしろその方がはるかに奇蹟じゃなかろうかねえ。ところがだよ、いま全くの偶然によって暗示された世論なるものがだね、われわれに信じさせようとしているものは、まさにそうした奇蹟的暗合なんだねえ。

「そこでこれ以上話を進める前にだねえ、一つ殺害の現場だと考えられている、ルール関門の繁みというのを考えてみようじゃないか。なるほど深い繁みじゃあるが、こいつは、君、往来からほとんど離れてないわけだね。繁みの中には、三つ四つ大きな石があって、それがちょうど背中の寄掛りと足台のついた腰掛けのような形になっている。ところで上の石の上に、白の下袴が残されており、次の石の上には、絹のスカーフがのっていた。ついでにパラソル、手袋、ハンケチなども、ここで発見されたと。ハンケチには、マリ・ロジェエという名前も入っていた。それに周囲の木の枝には、服の切れはしがひっかかっており、地面は、踏み荒され、繁みは、メチャメチャになっている。激しい格闘が行われた証拠は、歴然だというんだったねえ。

「この繁みが発見されたということは、たちまち新聞の方で大きく取り上げられた、そしてこれこそまさに、兇行現場に相違ないという風に、誰もかもみんな考えてしまった。しかしだよ、これにはまだまだ疑問の余地がある、ということを考えなくちゃだめだねえ。果して現場であるか、それを信じるか信じないかはさておいてだね、――とにかく疑う理由は、立派にあるな。まず第一に、もしかりに真の現場がだよ、『ル・コメルシエル』紙の主張するように、パヴェエ・サン・タンドレ街の近くだったとしたら、どうだろう、犯人どもとしてはだね、もしパリにそのまま残っているかぎり、こんな風に世間の注意が、図星の方向へ向って着々と動いて行くことには、当然の話として、恐怖の念を禁じえなかったろうじゃないか。そうなれば、またある種の人間がだねえ、これはなんとか一つ注意を逸らすような手を打つ必要があると、そんな風にすぐ考えることも当然ありうるわけさ。しかもそうなるとだねえ、幸いちょうどルール関門の繁みに疑いがかかっている、これは一つ、あそこへ遺品を置いておくに限る、という考えが起るのも、きわめて自然な段取りというもんだね。もっとも『ル・ソレイユ』紙の臆測じゃね、あの発見された遺品類は、少くとも数日間以上あの繁みの中にあったと、そういうんだが、別に確かな証拠があるわけじゃない。むしろその反対にね、あの遺品類が、問題の日曜日から、子供たちが発見したあの午後まで、実に二十日間もね、誰の目にもつかずにあったなどという、そんなことは、とうていありえないという、その方の情況証拠なら、いくらでもある。『ル・ソレイユ』紙は、前に同じことを書いた諸新聞の意見を、そのまま鵜呑みにしてね、『これら遺留品は、雨のために、ひどく黴が生え、黴のために、すっかり密着していた。周囲の草はよく伸びて、遺留品のあるものなどは、すっかり上まで、蔽われていた。パラソルの絹地は、まだ丈夫だったが、内側の糸はくっつき合っており、畳まれて二重になった表側は、すっかり黴び朽ちて、開けると裂けてしまった。』と、そんな風に書いてたね。ところで、まず草だが、『周りから上まですっかり蔽われていた』ということはね、要するに二人の小さな子供の言葉、したがってそれは、記憶によって確かめられたものにすぎない。だって、そうじゃないか、子供たちは、第三者がまだ誰も見ないさきに、それを持って家に帰ってしまったんだろう、ね。ところが、草なんてものはね、（あの殺人事件があったような）暑くて、しかも湿気の多い時候には、一日のうちに二、三インチやそこら伸びることは、いくらでもあるものなんだからね。たとえば試しに、植えたばかりの芝生に、パラソルを置いといてみたまえ、一週間もすれば、伸びる草で、すっかり隠れて見えなくなることだってあるんだからね。

それからまた『ル・ソレイユ』紙が、いま上に引いたほんの短い文章の中にさえね、三度もその言葉を使って強調している黴の問題だがね、果してこの筆者、この黴の性質ってものを、ほんとうに知ってるんだろうかねえ？　つまりあの黴ってやつはね、普通たった二十四時間内に、生えてまた枯れてしまうという、そうした多くの菌類の一つなんだが、それさえ知らないんだろうかねえ？

「まあ、そういうわけでね、あの遺留品が、『少くとも三、四週間は』繁みの中にあった、という判断を裏づける証拠として、得々と挙げられている事実なるものはね、実は証拠としては、およそ馬鹿馬鹿しいナンセンスであるということが、一見してわかるわけさ。一方、あの遺品類が、あの問題の繁みの中にね、一週間以上——つまり、ある日曜日から次の日曜日まで以上——あのままになっていたと信じることは、これは極度に困難だな。少しでもパリ周辺について知っているものならばだよ、よほど郊外からはずれてでもいればとにかく、そうでもなければ、人里離れた場所なんてものを探し出すことが、どんなに困難だか、ようく知ってるはずだよ。パリ近郊の森や林で、誰も行ったことのない場所、いや、それどころかあまり人の来ない場所なんていうのでさえね、まず金輪際想像できないものねえ。たとえば、心の底では自然が大好きでありながらね、いやでも勤めのためにこの大首都の塵と暑さに縛りつけられている人間にだよ、——日曜日以外の日でもいいから、どこかすぐ周辺の美しい自然の中に行って、少しでも孤独への渇望が充たされるかどうか、やらせてみるんだねえ。せっかく深くなってゆく魅力が、まず二足行くごとに、きっと誰かいかがわしい人間か、でなければ飲み騒ぐごろつきどもの声や姿によって、すっかり消し飛んでしまうことは請合いさ。こんな深い森ならばと思って、孤独を求める。だが、それでも駄目だ。こちらの物蔭には、薄汚い奴らがウヨウヨしているかと思えば、——こちらにはおよそ神聖とは遠い神殿があるといった工合。結局は、胸を悪くして、またしても汚辱のパリへ逃げ戻ってくる。同じ汚水溜にしても、まだパリの方が全体不調和でないというだけでも、ましだというんだろうねえ。だが、週日のパリ郊外でさえ、これだとすればね、まして安息日のそれが、どんなにひどいものだか！　ことに日曜日となればね、町のごろつきどもが、労働の義務からは解放されている、ふだんの悪事を働く機会はないというわけで、いっせいに郊外へと集ってくる。むろん自然が好きで来るなんてのじゃない、そんなことは、心の中で軽蔑している。ただもう社会の拘束と習慣から解放されることを求めて、やって来るんだねえ。新鮮な空気や緑の樹木がほしいんじゃない。ただもう田舎の完全な放恣放縦を求めて来るんだ。道端の安宿だろうと、森の葉蔭だろうと、気にするのはせいぜい同じ遊び仲間の見る眼くらい、それこそあとは誰憚るところもなく、ラム酒と放埒との合作物

——まるきり狂気じみた、底抜けの乱痴気騒ぎに現《うつつ》を抜かすんだねえ。だから、つまり問題の遺品類がね、パリの周辺どこの繁みにしたところで、かりにも日曜日から日曜日まで、さらにそれ以上長く、見つからないままで残っていたなどということは、まずほとんど奇蹟のほかには考えられないと、もう一度僕は言いたいんだがね、これは、もう冷静な観察者にならわかりきったことだと思うんだがな。

「ところで、あの遺品類がね、世間の注意を真の兇行現場から逸らせるために、ことさらあの繁みの中に置かれたという疑いについてはね、ほかにもまだ根拠がないわけでない。まず第一には、あれが発見されたという日付に注意してもらいたいね。その日付と、そしてこれは僕がいろいろ新聞からつくった抜萃の第五、この二つをひとつ比べてみるんだねえ。すぐ気がつくだろうと思うんだが、つまり遺品の発見は、あの夕刊紙に送られた緊急投書の、ほとんどすぐあとだということなんだねえ。なるほど投書は、幾つかあり、ちょっといろいろ違った出所から出たもののようにも思われるが、結局要旨はたった一つ——つまり兇行の犯人は、不良ギャング、そして現場は、どこかルール関門の近くだということに、すべて注意を転じさせようということにあるらしいんだな。むろんこう言えばとてね、それら投書の結果、あるいはまたそれによって世間の注意が向けられた結果として、問題の遺品が子供たちによって発見されたなどと言ってるんじゃないよ。だが、それにしても、それまで子供たちが発見しなかったというのはね、要するにそれまでそんなものは、繁みの中になかったからにすぎない。結局それは、ずっとあとで、ちょうどあの一連の投書と同じ時期、少くともそれに先立つほんの少し前に、しかも投書の差出人である犯人自身によって、あの場所に置かれたのではなかろうか、というこの疑いは、十分成り立つのじゃァなかろうかねえ。

「ところで、あの繁みというのは、実に奇妙な――驚くべく奇妙な繁みなんだねえ。まず異様に深く繁っている。いわば天然の壁ともいうべきものを囲らした中に、これも珍しい石が三つ、ちょうど背中の寄掛りと足台のついた腰掛けのような形をして並んでいる。しかも、いわば自然の工《たくみ》に充ちたこの繁みは、例の子供たちの家、マダム・ドゥリュックの住居からすぐ近く、実に数十メートルとは離れていないんだよ。ところで子供たちは、黄樟《ササフラ》の樹皮をとりに、よくこの周りの繁みを念入りに漁りまわるのが習慣だったというんだねえ。してみると、子供たちの少くとも誰かがだよ、この木蔭の広間にもぐり込んだり、あるいは天然の王座にのっかったりしないという日は、まず一日としてなかったんじゃなかろうか。これは一つ賭をしても構わない、――決して万一を期する向う見ずの賭じゃないと思うんだが、どうだろうかねえ。これしきの賭に躊躇する人間というのは、おそらく一度も子供の経験も持たないか、でなければ、すでに子供の心を忘れてしまった人間にちがいない。したがって、僕はもう一度言うがね――あの遺品類が、長くとも一日二日以上、あの繁みの中に見つからないままであったということは、とうてい考えることができないね。したがってだよ、『ル・ソレイユ』紙の独断的無知にもかかわらずだね、あの遺品類が、どちらかといえばずっと後になってから、はじめてあの場所に置かれたということは、十分疑ってみる理由があると言うのだ。

「ところが、あれがそんな風に置かれたものだということを信ずるについてはね、いままで僕が言って来たどの理由よりも、さらにもっと有力な理由が、まだほかにもあるんだな。つまりそれは、あの遺品類の置かれ方というものが、ひどく不自然だということに気をつけてもらいたいね。上の石には、白の下袴が、そして次の石には、絹のスカーフが、のっかっていた。それからパラソルや、手袋や、「マリ・ロジェエ」と名前の入ったハンケチなどは、あたり一面に散らばっていたという。まさにこれは、あまり頭のよくない人間がね、さも自然に置かれたもののように見せかけたいとき、当然やりそうな置き方なんだねえ。ところが事実は、ほんとうに自然な置き方じゃちっともないんだ。僕ならば、むしろあの遺品類が、みんな地面に落ちていて、しかも足で踏みつけられている、ということにしたいところだな。あの狭い森の中で、下袴やスカーフが、たくさん格闘中の人間によって、あちこち振りまわされてだよ、それでちゃんと、石の上にのっかってるなんてことが、果してあるだろうかねえ。『格闘が行われた証拠があり、地面は踏み荒され、繁みはメチャメチャになっていた、』というのだろう。ところが、下袴とスカーフだけはだよ、まるで棚の上にでも置いたみたいに、のっかってたというんだよ、ね。また『茨に裂き取られた服の布片は、幅三インチ、長さ六インチほどあったが、その一つは、上衣の縁で、繕いのあとがあった。布片は、すべてあたかも激しい力で裂き取られたかのような観を呈していた、』ともいうんだねえ。ところが、ここでも『ル・ソレイユ』紙はね、不注意至極にも、実にあいまいな言葉を使ってるんだな。なるほど記事の通りにね、布片は、あたかも『裂き取られたかのように』は見えていたろうさ。しかもわざわざ、手でもって裂いたようにだよ。だいたい今ここで問題になっているような上衣類でだよ、その一部が茨のために『裂き取られる』なんてことはね、これはまずもう絶対にないといってもいいほどのことだねえ。ああいった布地というものはね、たとえば茨なり、釘なりにひっかかるとするね、するとそれは、必ず直角に裂けるものだ――つまり刺《とげ》のささったところを頂点として、お互い直角に交わる二つの長い裂目にわかれるわけだね。それに対して、布片が一部『裂き取られる』なんてことは、まずもって考えられないな。そんな例は、僕も知らんし、君だって知るまい。ああいった布地から、その一部を裂き取るためにはね、ほとんどすべての場合、それは違った方向に働く、はっきり二つ別な力が要るわけさ。もっとも縁が二つある布地の場合だけはね、――たとえばハンケチだが、これから細長い切れ端を取りたいというとき、ただこのときだけは、一つの力だけでたくさんだということになる。だが、いま問題になっているのは、服、つまり縁が一つしかないものの場合だよ。それを、縁でもなんでもない、真中のところから、茨の力で一部を裂き取ろうなんて、奇蹟でもなければできるもんじゃないし、また一本の茨じゃ、絶対にそれはできない。それに、かりに縁になってるところだってだよ、それには、やはり二本の茨が要る。そして一本は、はっきり二つの別の方向に働き、もう一本が、一つの方向に働かなければできない。しかもそれさえ、縁には縁縫いがしてないという仮定の上に立って、はじめてできるということなんだよ。縁縫いがしてある場合は、これはもうほとんど問題にならん。だから、こういう風に見てくるとね、ただ茨の力だけで、あの切れ端が『裂き取られた』と考えるにはだ、まあ、非常に多くの大きな障害があるわけだな。ところが、いまわれわれに要求されていることはね、あの切れ端一つじゃない、たくさんの切れ端が、すべてこんな風にして裂き取られたものだと、そう信じろというんだからねえ。しかも、おまけになんというか、『その一つは、上衣の縁であった』とも、またもう一つは、『スカートの一部で、縁ではない』ともおっしゃるんだからね――つまりこの場合は、服の、縁でない、真中のところから、しかも茨の力だけで、完全に裂き取られたということなんだねえ。いくらなんでもここまで来れば、もういい加減に嘘をつけ、と言ってやってもいいだろう。だが、ただこれらの事情を綜合して考えてみるとだね、なるほどみんな、おかしいといえばおかしい、と十分疑えることだらけだがね、さらにはるかにおかしいことはだね、かりにも死体を運び去ることを思いつくほどの用心深い犯人どもがだよ、なぜまたあんな遺品などを、あの繁みの中に置いたかという、この驚くべき一つの事情なんだな、君。ただここで一つ言っとくがね、なにか僕の言いたいことは、あの繁みが、断じて兇行現場でない、ということにでもあると思うんだったら、それは、とんでもない誤解というもんだろうね。たしかにあそこで、兇行は行われたかもしれんし、いや、それよりももっとありうることは、マダム・ドゥリュックの家で、なにか変事があったのかもしれん。だが、実際そんなことは、どうでもいい小さなことなんだ。われわれの仕事はね、なにも兇行現場を突き留めようというんじゃない。犯人をあげようというんだからね。いままで僕が論じてきたことはね、なるほどずいぶん詳細をきわめていたかもしれん、だが、その目的はだよ、まず第一には、『ル・ソレイユ』紙のあの性急な独断的主張が、いかに愚劣きわまるものであるかを論証するため、そしてもう一つ、いや、実はこの方がむしろ主なんだが、それはね、果してこの殺人がいわゆるギャングの仕業であるかどうか、その辺もう一度疑ってみることを、なんとかできるだけ自然な路筋で、君にやってもらうようにしたかったからなんだ、ね。

「そこでまたこの問題に帰るわけだが、それにはまずね、あの検屍をやった外科医とかの、愚劣きわまる報告のことから、はじめていこう。だが、それについては、すでに発表されている、犯人の人数に関する奴の推定なるものがだね、今じゃパリ中のちょっと名のある解剖学者なら、誰でもみんな、とんでもない、まるで根拠もなにもない妄説だというので、当然いい笑いものにしているという、ただこの一事だけ言っておけば十分だろう。なにも事実が、推定とは異っていそうだというのではない。推定そのものが、まったくの無根拠、――つまり、なにかもっと別の推定こそ出て来べき、十分な理由があったんじゃなかろうか、ということなんだねえ。

「そこで今度は、あの『格闘の跡』と称するものを、一つ検討してみようじゃないかね。それにはまずね、いったいあの跡なるものは、なにを示していると考えるべきか、それからまず聞きたいねえ。一団のギャングだって？　だが、それならむしろギャングなんてものの、全然いなかったことを示しているんじゃあるまいか？　武器もなにも持たぬ、高がかよわい小娘と、かりにも一団の不良ギャングとやらが争うのにね、なんの格闘なんてものが起りうるか、――しかも、あたり一面『跡』をのこすほどの、そんな激しい、そんな長い格闘がだよ。二、三本、あらくれ男の腕でもが、黙ってぐっとつかめば、それでもう万事は、おしまいさ。被害者は、完全に彼らの意のままだったに相違ない。そこで、ようく頭に入れておいてもらいたいことはね、繁みが絶対現場でないといったすべての論証はだね、主として、それが二人以上の犯人によって演じられた兇行の現場でない、ということだけに言えるのだってね、もしわれわれが、かりにただ一人の犯人というものを想像することになるとだよ、今度は逆に、はっきり『跡』をのこすような、激しい、執拗な格闘も、十分考えることができるし、まただからこそ、そうとしか考えないわけさ、ね。

「それから、もう一つ。例の問題の遺品類だがね、あれがあの発見された場所に、ずっと落ちたままになっていたということ、それによって、かえってそれこそ臭いと考えなければならない理由は、すでに前に言ったね。いったいああした証拠品が、偶然にもせよ、あんな場所にそのまま残されているということは、ほとんどありえないことなんじゃないかしら。とにかく死体を運び去るだけの心の落着きはあったとしか思えない。とすると、それでいて、ある意味じゃ死体よりももっと歴然たる証拠品、という意味は、顔などはすぐ腐って、わからなくなるからね、それが、まるで見てくれがしに、兇行現場にほったらかしてあるというんだよ、——僕のいうのは、あの被害者の名前入りのハ

ンケチなんだ。したがって、もしこれが偶然だというならばね、それは、断じてギャン
グがやった偶然じゃない。ただ一人の人間のやった偶然事としきゃ考えられない。ええ
と、つまりね。ある男が、人を殺す。死んだ人間の亡霊と、ただ二人きりになる。と、
にわかに、眼の前に横たわっている動かない死体を見て、ゾッとなる。一時の激情が去
ってしまうと、自然の情として、心の中には、犯した行為に対する恐怖感の入って来る
余地が、大きく開ける。いくら度胸が据《すわ》っているといっても、それは、あの大ぜい仲間
がいるときの度胸とは、まるでちがう。とにかく死人と、ただ二人きりなのだ。ブル
ル慄えはくるし、心は錯乱する。それでいて、なんとか死体の始末は、つけねばならぬ。
とにかく死体は、河まで運ぶ。だが、そのほかの犯罪証拠は、すべてあとへ残して来る。
というのは、みんなを一度に運ぶのは、よし不可能ではないにしても、困難だ。なに、
あとで取りに帰ったところで、造作はない。ところがだね、エッチラオッチラ河まで行
くうちには、いよいよ恐怖感はつのってくる。進んでゆく径の四方からあらゆる生きも
のの物音が、迫ってくる。幾度、そっと窺っている人間の足音を、空耳かなにかに、聞
いたように思うかしれない。遠い市の光さえが、彼をギョッとさせる。だが、まあその
うちには、深い苦悩のために、何度かじっと立ち止り、立ち止りしながらだが、とにか
くどうやら河縁には着く、そして気持の悪いお荷物の始末も、――おそらくボートにの

せてだろうが、なんとかうまくつけたと。だが、問題はそこだ、どんな貴い宝物がもらえるからといって、——いや、それともどんなおそろしい懲罰でもって脅されたからといって、どうしてたった独り、あの厄介な危い径を、ふたたびあの繁み、そして血も凍るような思い出の場所へ、取って返すだけの勇気が出るだろうか？　もうあとは野となれ山となれ、決して奴は、戻って来るもんじゃない。帰ろうと思っても、帰れないのだ。考えることは、とにかく早く逃げることだけ。あのおそろしい繁みには、それきり永久に背を向けてしまって、まるで神の怒りからでも逃げるように、逃げて行ってしまうというわけさね。

「ところが、ギャングだとしたら、どうだろう？　たしかに悪党は悪党だが、度胸はないという場合もありうるが、かりにそうだとしてもだね、そこは数というものが、度胸を生む。しかもたいていギャングなどというものはね、無頼の悪党どもの集りときまっている。そこで言いたいのはだね、さっきも言った、もし一人の人間なら参ってしまうであろう、あのおそろしい、理由《いわれ》のない恐怖もだよ、人数がいれば、なんとか忘れることができたろう、というのさ。それで一人、二人、あるいは三人までが、気づかないでしまったようなことでも、四人目の男が、そこは気がつくだろうし、したがって遺留品をのこすなんてことは、あるまいと思うんだ。というのは、それだけ人数がいれば、一度に全部運んでしまうこともできるわけで、取って返す必要は、なくなるからね。

「ところで次は、死体が見つかったときの情況だな。考えてもみたまえ、死体の上衣は、『裾から腰のあたりまで、幅一フィートばかりの布片が、長く引き裂かれて、それで腰のまわりを三つ巻き、背中のところで索結びにして、とめ、くくってあった、』と言うのだろう。これは、明らかに、死体を持ち運ぶための手がかりとして、くくったものにきまっている。ところでだ、もし犯人が何人かであったならばだよ、果してこんなことを思いつくだろうかねえ。三人か四人もいればね、死体の手足だけで、十分運べるばかりか、むしろそれが一番いい方法じゃないのかね？　だから、あの工夫は、明らかに一人の人間の工夫さ。そして、そのことから当然出てくるものは、あの『繁みと河との間には、柵の横木が、倒されている部分があり、地面には、なにか重い荷物でもひきずって行ったような跡が歴然とのこっている、』という一点さ、ね。かりにもし何人かの人間がいたならだよ、ただ死体をひっぱって通るのに、なにを好んで、わざわざ柵を壊すなんて、余計な骨折りをする必要がある？　ヒョイと持ち上げて越しゃ、アッというまにいくんだからね。それにまた何人もいる犯人が、なぜまたことさら歴然と跡をのこすような、そんな引きずり方をするはずがある？

「ここで、また一つ『ル・コメルシエル』紙の記事に出てもらわなければならないんだが、それは、すでに前にもちょっと触れておいた問題なんだが、『被害者の下袴の、一部が裂き取られて、おそらく声を立てさせないため、したものであろうがそれで後頭部から一巻きして、顎の下で結んであった。明らかにハンケチを持たない連中の仕業に相違ない、』というんだったね、記事は。

「これは、僕が前にも言ったことなんだが、いったい真物《ほんもの》の悪党で、ハンケチを持たないなんてことは、まず絶対にないね。だが、まあいま僕の言いたいのは、そのことじゃない。だが、ただこの裂き片がだよ、なにもハンケチがないために、『ル・コメルシエル』紙の想像するような目的に使われたのじゃ決してないということ、それだけは明らかだねえ。だって、現に繁みにハンケチが落ちてたんだもの、ね。それからまた、それが、『声を立てさせない』ためでもなかったこと、これも明瞭さ。なぜって、もしその目的なら、なにもあんな裂き片を使うよりも、もっとはるかに適当なものがあったはずなんだからねえ。ところがだよ、問題の布片について、証言の方は、こう言ってるんだ、『それは、ゆるく首を巻いて、しっかり固結びに結んであった、』とね。これは、かなり漠然とした言い方さ、だが、それにしても『ル・コメルシエル』紙の記事とは、根本的に違うね。問題の布片は、幅が十八インチある。だから、生地はモスリンだというが、縦にたたむとか、くしゃくしゃにするとかすれば、これは結構丈夫な紐になる。しかも発見されたものは、まさにそうなってたというんだねえ。そこで、僕の推定はこうなんだ。犯人というのは、一人きりでね、あの死体をだねえ、例の腰のまわりに結いつけた手がかりの紐でもって、(繁みからだか、どこからだか、それは知らないが)、とにかくある距離運ぶだけは運んだんだな、ところがだよ、そうしたやり方では、どうも重すぎて力に及ばない。そこで考えたね、こいつは、むしろひきずって行ってやろうとね。——だって、引きずって行ったという証拠は、ちゃんと出てるんだろう。ところが、そうなると今度は、どこか死体の端っこに、なにか綱みたいなものをくっつける必要がある。それには、やっぱり首のまわりが一番いいと。頭で、ずり抜けるのが防げるからね。そこで、第一番に犯人が考えたのは、むろん腰のまわりの紐だったにちがいないな。事実、もしあんな風にぐるぐる巻きつけてなく、結び目も厄介な索結びでなく、そしてまたそれが、上衣から『裂けて取れてしまって』いたものだったらばね、たしかにあれを使っただろうよ。ところが、下袴から、新しい片を裂きとる方が、はるかにたやすかった。そこで、それを裂いて、首のまわりにしっかり巻きつけ、それで河の縁まで死体を引きずって行ったというわけさ。で、この裂くのに手数もかかり、時間もかかるはずの布片、そしてかんじんの目的には、あまり適しない首の紐がだね、——とにかく使われたということはだよ、とりもなおさずその必要が、もはやハンケチがほしくとも、ないという時期に、ある事情から急に生じたということ、——つまり、言いかえると、前にもすでに考えたように、犯人があの繁み(むろんそれは、あそこを兇行現場と仮定しての話だよ)で、その繁みをあとにしてだね、ちょうど繁みと河との途中にいたとき、まさに起ったのだということを、示しているんじゃあるまいか。

「ところが、こう言えばまた君は言うだろう、じゃ、あのマダム・ドゥリュックの証言!は、どうなるんだ。現にあの証言は、殺人のあった時刻、ないしはそのころにね、繁みの附近に、はっきりギャングが居合せたということを、特に指摘しているじゃないか、とね。そりゃそうだろう、僕も認めるよ。そうだ、あの惨劇が行われた前後の時刻には、あのルール関門の附近に、マダム・ドゥリュックの言うようなギャング連中はね、あるいは十組以上もいたかもしれん。ところがね、多少時期おくれの、しかもはなはだ疑問の証言だが、とにかく特にマダム・ドゥリュックのはなはだしい逆鱗にふれているギャングというのはね、ただ一組のギャングだけ、つまりあの正直にして、しかも細心にあらせられる老夫人の言葉によればだよ、彼女の店で、菓子を食い、ブランディを飲みながら、一銭も置いて行かなかったというその一組だけなんだよ。まこと、この故にこそ怒りあれ《エト・ヒンク・イルロエ・イロエ》、なんだな。

「だが、いったいマダム・ドゥリュックの証言とは、厳密にいえば、なになんだ?

『一団のごろつきどもが現われて、大騒ぎをやったあと、飲み食いの勘定も払わないで、そのまま二人が行ったと同じ道を、消えて行ったが、日暮頃にはまた引き返して来て、なにかひどく急いでいる様子で、ふたたび河を渡って帰って行った、』と、そういうんだったね。

「ええと、ところでこの『ひどく急ぎの様子』というやつはね、おそらくマダム・ドゥリユックの眼には、実際以上に急いでいるように見えたのにちがいない。なぜといって、彼女は、もっぱら只食いされた菓子のこと、酒のこと――そうだ、彼女としては、それでもまだ払って貰える一縷の希望くらいは、かけていたろうからね、――したがって、そのことばかり、ウジウジと恨めしそうに、考えていたに相違ないからね。どだいそうでもなければ、日暮頃というのに、なぜ彼女が、わざわざ急いでいたということなんぞ強調する？　夜は迫る、嵐は来そうだ、しかも小さな舟にのって、広い河を渡らなきゃならんというんじゃ、いかにごろつきギャングだからって、帰りを急ぐのは、当り前じゃないか、ちっとも不思議なことはない。

「ところで、僕は、夜は迫るといった。つまり、まだ夜にはなっていなかったんだよ。いいかね、これらギャングの一団が、不当に帰りを急いでいるようで、冷静なるマダム・ドゥリユックの御機嫌を害《そこ》ねたというのはね、まだほんの日暮頃だったんだよ。ところが一方、マダムとその長男とがね、『宿屋のあたりで、女の悲鳴が上るのを聞いた』と言ってるのは、まさにその晩だった、ということを聞いている。現に彼女は、問題の悲鳴が聞えたという夜の時刻を、どういう言葉で言い現わしている？　『日が暮れてしばらく経ってから』とそう言ってるんだよ。だが、『日が暮れてしばらく』ならば、少くとも暗いね。ところが、『日暮頃』というのは、どうしてもまだ日の中だ。そうなると、問題のギャングがルール関門をあとにしたのはね、はからずもマダム・ドゥリュックが悲鳴を耳にした？　時刻よりは、明らかに先だということだね。そして問題のこの前後関係を示す言い方はね、たくさんあるどの証言の記事にもね、ちゃんとはっきり、いつも同じように、ちょうど僕が、いま君との話でも使っているように、使い分けられているのだが、どうしたことか、この大きな食い違いをだね、今までのところ、どの新聞も、どの警察のお役人たちも、一つとして気がついていないのだねえ。

「ギャングでないという論拠には、あともう一つだけ付け加えておこう。ところが、この一つというのがね、少くとも僕の理解する限りではだね、完全に決定的な重要さを持っていると思うんだ。大きな懸賞金がかかっている上に、共犯証言をさえすれば、無罪放免になるというような事情があればね、どんな仲間の一団にしてもそうだが、まして下等なごろつきギャングなどの場合、その中の誰かが、きっととっくに共犯者を裏切って密告しているはず。なかったら、むしろ不思議だろうね。そうした条件下に置かれたギャングというものはね、そのめいめいが、賞金を欲しがったり、罪を逃れたい一心のそれよりもね、むしろ密告されることを、極度に怖れているのだ。つまり、己れがまず密告されないようにね、いわば機先を制して、自分が密告者になるわけさ。だからしてね、秘密がまだ洩れていないということ、それがつまり、秘密であるということの、結局最上の証拠なんだな。いいかえればね、今度のおそろしい兇行を知っているものはだよ、まずたった一人、でなければ二人の生きた人間と、そして神様だけということだな。

「さて、もうこの辺で、われわれのこの長々しい分析のね、貧弱かもしれぬが、きわめて確実な成果とでもいったところを、しめくくるとするかね。まずわれわれが到達しえた結論はだね、惨劇のあったのは、マダム・ドゥリュックの家の中か、でなければやはりルール関門の繁みが兇行現場か、そして犯人は、被害者の恋人、いや、そうでなくても、少くともきわめて親しい秘密の知人といったところだな。ところで、この知人というのは、顔色が黒い。この顔色と、あの縛った紐の『索結び』と、それから帽子のリボンがくくってあった『水兵結び』と、こうした事実は、すべて船乗りということを意味するね。しかもこの男が、被害者——いくらか浮いたところはあったが、決して卑しい娘じゃないが――その娘と交際があったということはね、彼が、単なる平海員じゃない、もっと上の階級のものだ、ということを示している。この点については、ほら、あの新聞社へ出した緊急の投書というやつ、あれの上手な筆蹟が、十分確証になると思うんだ。そうなると、あの『ル・メルキュール』紙がのせていた最初の駆落ちの折の事情だが、考えてみると、どうも今度の船乗りとだよ、それからこの不幸な娘を、はじめて罪の途へ導くことをしたらしいその『海軍士官』とがだね、あるいは同一人物じゃないか、ということを思わせるのだな。

「さて、ここで一つ、ちょうどいいところだから、考えてみたいがね、つまりそれは、この顔色の黒い男というのが、終始ついに現われて来ないということだね。ここでちょっと言っておくが、この男の顔色というのが、ひどく黒いんだな。ヴァランスにしろ、マダム・ドゥリュックにしろ、二人とも、ほとんどそのことだけを憶えているというのだから、まず並大抵の黒さではなかったと思っていいね。だが、それにしても、なぜこの男が現われて来ないんだろうかねえ？　やはりギャングにやられたんだろうか？　だが、それならば、なぜ殺された娘の証跡しか残っていないんだろうか？　二つの兇行の現場は、当然一つところと考えられていいだろう。が、それならば、死骸は、いったいどこへ行った？　犯人どもは、まず当然二つとも同じ方法で始末したろうと思えるからね。だが、ひとつ考えられることはね、あの男は、まだ生きている。だが、ただ殺人の嫌疑がかかることを恐れて、出て来れないのだとね。たしかにこの考えは、いま、——つまり、こんなにおそくなってしまってはだよ——あの男の心に働いているかもしれない。というのは、なにしろマリと一緒だったことが、ちゃんと目撃者の証言として、出ているんだからね。これがあの兇行当時ならね、別になんでもないことだったかもしれん。もし犯人でないならばね、まず考えることは、兇行を直ちに知らせること、そして、犯人が何者だか、明らかにすることに、少しでも力をかすことだろうからねえ。これくらいの手は、浮んだはずだろうにさ。現にあのマリと一緒だったのを見られてるんだよ。娘と一緒に、屋根なしの渡し船で、河を渡ってるんだよ。そうなればもう犯人を摘発することこそがね、自分への嫌疑を免れる、もっとも確実な、また唯一の方法であるということくらいは、馬鹿にだってわかったろうからさ。あの問題の日曜日の晩、彼自身兇行にも関係がない、兇行の行われたのも知らないなんてことは、とうてい考えられないからね。ところが事実、彼が生きていながら、犯人摘発の挙に出ないなんてことはだよ、まさにそうした事情においてしか、想像できないことだからねえ。

「では、いったいどうしたら、真相を突きとめることができるか？　いずれその方法は、話が進むにつれて、だんだんはっきりして来ると思うがね。それには、まずあの最初の駆落ち事件というやつを、徹底的に洗ってみようじゃないか。あの『士官』というやつの全経歴、現在の情況、それからちょうどあの兇行の時刻には、どこにいたか等々という点をね。次には、例のギャングに罪を着せようという目的でもって、夕刊新聞に寄せたたくさんの投書類ね、あいつを一つ一つ丹念に比較してみることだな。さて、それがすんだらだ、今度は、それら投書をだね、さきにこれも朝刊新聞に寄せられた投書、つまりムネエの有罪を猛烈に主張しているあいつだが、それと並べて、文体と筆蹟について、比べてみるんだね。それもすんだら、今度はもう一度だね、それら投書を、はっきりその士官の筆蹟とわかっている何かと、比べてみることだ。次にはまたマダム・ドゥリュックとその子供たち、それから乗合馬車の馭者ヴァランスもいるが、こいつをくりかえし訊問してみてだな、この『顔色の黒い男』のことを、風采なり、態度なり、もう少し確かめてみるんだな。うまくさえ質問をもって行けば、これらのうちの誰かからだね、この点についての(いや、もっとほかの点でもいいが)――当人自身すら気がついてないような知識を、引き出すこともできる。ところでもう一つはね、あの六月二十三日月曜日の朝、艀の船頭が拾い上げたというボート、しかもそれは、死体のあがるしばらく前にだね、舵もつけないまま、番人の知らない間に盗まれたというやつだが、そのボートを突きとめて探し出すことだね。ちゃんと慎重に、根気強くやれば、これは必ず見つかる。というのは、見つけた船頭にさえ見せれば、すぐわかるわけだし、それに、舵もこっちにちゃんとあるんだから、ね。少しも心にやましいことのないものならだよ。かりにも帆走ボートの舵をだよ、調べもしないで、そのまま打《う》っ棄《ちゃ》って行くなんてことがあるものだろうかねえ。だから、ここでちょっと、一つの疑問を出しておきたいんだ。ボートを拾ったということは、広告もなにも一向出なかったね。つまり黙って艀事務所に返され、またそのまま黙って盗まれたわけさ。だが、考えてみるとだね、その持主だか、借主だかしらないが、――どうしてそれが、火曜日の朝なんてそんなに早く、別に広告も出ないのに、月曜日に見つかったボートの在りかを知ることができたんだろう、ということだねえ。それには、なにかどうも海軍との関係――つまり、ちょっとしたこと、――ほんのつまらない局部的なニュースまで、ちゃんと知ることのできるような、なにか恒久的な関係をでも仮定しなければ、とうてい考えられないことだろうな。

「たった一人の犯人が、死体を河岸まで引きずって行ったのだと言ったときに、僕はまた、おそらく犯人は、ボートを使ったろうとも、すでにちょっと言っておいた。つまり、マリ・ロジェエの死体は、ボートから抛り込まれたのだよ。まあ、当然そういうことになったろうねえ。岸に近い浅瀬などに、とうてい安心して投げ込んでおけるものではない。被害者の背中や肩にのこっていた一種独特の傷痕は、ボートの底の肋材に当ったということだねえ、それに、死体に重錘《おもり》がついてなかったということもね、これまた以上の考えの裏づけになる。もし岸から投げ込んだのだったらばね、おそらくつけたろうと思うね。ところが、それがつけてないというのはだ、ボートを出す前に、犯人があわてて、用意することを忘れたとでも考えなければ、説明がつかん。いよいよ死体を投げ込むというときにはね、むろん手抜かりに気がついたろうさ。だが、そのときじゃ、もうどうにもならぬ。あのおそろしい岸へ戻るよりはさ、ええい、どんな危険でも来いといった気になったろうね。そして気味悪いお荷物の始末がすむと、大急ぎで市へ戻って行ったろうねえ。で、どこかあまり人の来ない波止場で陸上へ跳び降りたろう。が、果してそのとき――ボートを繋いだろうか？　急いでいて、ボートを繋ぐなんて、とてもそんな余裕はなかったろうな。おまけに、もし波止場に繋いでなんぞおけば、逆にわざわざ不利な証拠をのこしておくみたいな気がしたかもしれない、ね。当然犯人が考えたろうことはね、かりにも犯罪に関係ありそうなものは、できるだけ身辺からなくなしてしまうという、まずそうだったろうな。波止場から逃げ出したばかりじゃなく、あとまでボートが、そんな場所に残っていることさえたまらなかったろうから。むしろきっと押し流したろうね。そこで、もっと想像をつづけてみようか――翌朝になってだよ、奴は、ボートが拾い上げられて、どこか彼が毎日通る場所――そうだ、おそらく勤務のために、いやでも通る場所だろうねえ——そこに繋いであるのを見ると、まず言いようのない恐怖に打たれたろうねえ。その晩、彼は、舵のことなどとても言い出す勇気はなく、そのままそっと、どこかへやってしまったわけさ。したがって、舵なしのボートは、いったいどこへ行った？　それを見つけるということが、まず最初の目標の一つだな。こいつが見つかりさえすれば、まず成功の曙光は見える。このボートさえ手がかりに辿って行けば、おそらくわれわれ自身がびっくりするような速さでね、あの運命の日曜日の深夜、それを利用した人間にまで、自然に行き着くことだろうねえ。確証が確証を生むといった風で、犯人は、おのずから突きとめられるさ。」

〔特に記すまでもなく、おそらく多数読者諸君には、よくおわかりのことであろうと信じる諸理由により、われわれは、本社に寄せられた原稿から、たとえばデュパン氏が、一見きわめて些細な手掛りを基に、独特の推論を重ねて行った詳細など、勝手ながら一部分を省略させて頂くことにした。ただ一言、簡単に述べておいた方がよいと思えることは、結果はまったく所期通りに達成された、そして警視総監は、勲爵士デュパン氏との契約条件を、たしかに渋々ではあったが、間違いなく、履行したということである。なおポオ君の一文は、以下の言葉で結んである。——編集部。〕

私がいま語っているのは、暗合という事実に関する問題であって、それ以上のなにものでもないことは、諒承してもらえるであろう。この題目に関しては、私が以上述べて来たことで、もはや十分であると思う。私自身の心には、超自然に対する信仰などいうものはない。少しでも物を考える人間ならば、自然とその神とが、結局二つ別物であるということを、よもや否定するものはあるまい。神は、自然の創造者として、意のままに自然を支配し、変改しうるということは、これまた疑う余地はあるまい。「意のままに」と、私は言った。なぜならば、問題は意志にあって、しばしば誤って論理が仮定するように、決して力の問題ではないからである。神は、その法《おきて》を変改しえないのではなくて、われわれが、変改の必要でもあるかの如く想像する、そのことが、むしろ神への侮辱なのだ。その原初において、これら神の法《おきて》は、未来に起りうる一切の偶発事を、すべて包含しうるように作られたはずであった。神においては、一切が今なのである。

そこで私は、くりかえして言うが、いまこれらのことについて述べているのは、すべてただ暗合として語っているにすぎない。さらにまた、以上、私が述べて来たところに見て、すぐおわかりになろうと思うのは、あの不幸な女性メアリ・セシリア・ロジャーズの運命(むろんそれが、わかっているかぎりでのことだが)と、同じく一生のある時期までのマリ・ロジェエの運命との間に、たしかにある種の並行線があることであり、その驚くべき正確さを考えると、むしろわれわれの頭の方が、どうかしたのではないかとさえ思えるほどである。すべては、おわかりになる、と私は言った。が、ここでかりにも誤解があっては困るのは、私がマリの悲しい物語を、前に言ったある時期からさらに押し進めて、彼女をめぐる不思議な運命を、その最後まで辿ろうというとき、なにかさもそれが、例の並行線をさらに遠くまで延長させて考えようという下心だろうとか、またあの女売子殺しの犯人を挙げるために、パリで採られた方法や、そうでなくとも、同じような推理過程に基づいて出て来る方法ならば、すべていつでも同じ結果を生むはずだなどと、とんでもないことまで言おうとしているかの如く取られることである。

というのは、前記臆断の、ことに後半の場合などは、二つの事件の実にちょっとした事実の違いが、結局は二つの事件のコースを全くかえてしまうことによって、それこそとんでもない重大誤算を惹き起しうる可能性も、十分考えなければならないからである。あたかも算術において、それ一つ単独では、ほとんどわからないほどの誤りも、それが計算過程のあらゆる段階で倍加されてゆくと、結局最後には、真の答とは途方もなく違った結果を生むのと同断である。さらに臆断の前半についてもまた、私が前に触れた確率の計算それすらが、並行線の延長という考え方は、一切これを禁じている――ちょうどそれは、今度の並行線が、きわめて長く、また正確だっただけに、その延長に対しては、一そうの強硬さ、断乎さをもって禁じているのである。要するにこれは、一見すると数学以外の、およそ遠い種類の思惟作用に訴える問題のように思えるが、事実は、数学者でなければ結局完全に理解することはできないという、あのいわゆる変則命題の一つなのである。たとえばサイコロ遊びをやっている人間が、二度つづけてオール六を出した、ということは、もうそれだけで、三度目には、まず出ないだろうという方に、うんと大きく賭けていいという十分の理由なのだが、ところが、それを一般読者に向って納得させようというのには、およそこれほど難しいことはない。それを言うと、たいてい頭からインテリに反対される。もうすでに振ってしまったものであり、今では完全に過去に属しているはずの二度のサイの目が、どうして未来にのみ属している三度目の振りに影響を及ぼしうるか、考えられない。オール六の出るチャンスというものは、普通いつもの時と少しも変らないわけ——つまり、そのほか何度となく振り直す、影響といえば、それらの影響を受けるだけではないかという。しかもこの考え方は、実に明瞭、自明のように聞えるものだから、これを反駁しようなどという試みは、傾聴をもって酬いられるどころか、たいていは嘲笑に似た笑いをもって、迎えられるのである。この考え方に含まれている誤謬——それは、しばしば害毒をさえ流す、大きな誤謬だが——今それを明らかにすることは、とうてい与えられた紙面ではなしえないし、それに少くとも哲学的な頭をもった人間になら、今さら明らかにするまでもない。人間の理性というものが、いたずらに部分的真理を探究したがる傾向のために、かえって実は理性の前に起って来る、いわば無限に多い錯誤の中の、これもまさしく一つであるとだけいえば、今日のところは十分であろう。

盗まれた手紙

一八××年秋、風の強いある晩、暗くなって間もなくだった、僕は、パリで、友人C・オーギュスト・デュパン君と一緒に、メシヨンパイプ（海泡石でつくったパイプ）と瞑想という、二重の贅沢にあずかっていた。ところは、フォブール・サン・ジェルマン、デュノ街三十三番地、四階、彼の小さな裏書庫兼書斎だった。少くとも一時間、僕らは、深い沈黙をつづけていた。なに気なく、ふとこれを見たものは、室内を立ちこめて、濛々と、重苦しいまでに渦巻いている煙草の煙、それに、すっかり心を奪われている、とでも思ったかもしれない。だが、少くとも僕自身についていえば、その晩、宵のうちに、僕ら二人の話題になったある題目について、僕は、いろいろと、ひとり思いめぐらしていたのだった。つまりあのモルグ街の殺人事件とマリ・ロジェエ殺しのことである。したがって、僕は、ちょうどその時、部屋の扉が開いて、僕ら旧知の警視総監G――君が、入って来たことも、いわば一種の暗合としか考えられないのである。

僕らは、心から、彼を迎えた。というのは、この男、まことに下らない人間である一面には、案外面白いところもある人物である上に、この数年、たえて会ったことがなかったからである。それまで僕らは、暗がりの中に坐っていたので、デュパン君が、ランプを点《つ》けようとして、立ち上った。が、その時、G——君の来意は、最近迷宮入りをしているある事件について、僕らに相談をする、というよりはむしろ友人デュパン君の意見を訊くために来たのだとわかると、彼は、そのまま点けるのをよして、ふたたび腰を下した。

「もしなにか考える必要のある問題なら、暗がりの中でした方が、よく考えられる。」デュパン君は、ランプの芯に、火を点けるのをやめて、言った。

「またしても、君は妙なことをいう。」警視総監が言った。いったいこの男は、自分の頭でわからないことは、なんでもすべて「妙な」と言う癖があり、おかげで、それこそ数え切れない「妙な」ことばかりに、取り囲まれて生きていた。

「まさに、その通り。」言いながら、デュパン君は、客にパイプをすすめ、安楽椅子を、彼の方に押しやった。

「ところで、今日の難事件というのは、なんだね？」と、僕は訊いた。「もう人殺しの方は、御免だよ。」

「いやいや、そんなんじゃない。実はね、事件そのものは、きわめて単純なんだ。で、むろんわれわれだけで、結構やれるとは思うんだけど、そこで、ふと思ったんだ、なにしろ非常に変った、妙な事件だもんでね、これは、きっとデュパン君が、詳しい話を聞きたがるにちがいなかろうとね。」

「単純にして、しかも変ってる、ってわけだね。」デュパン君が言った。

「そう、そうなんだが、それでいて、それともまた違うんだねえ。実はね、事件そのものは、非常に単純なんだが、そのくせ、われわれとして、どうにも手が出せない。そこにまあ、われわれ非常に困惑している所以があるんだねえ。」

「なるほど、それは多分、事があまりにも単純なために、かえって君たち、迷ってるんじゃないか?」

「とんでもない、そんな馬鹿な話があるもんか!」警視総監は、大声に笑いながら、答えた。

「いや、その事件というのは、あまりはっきりしすぎてるんじゃないかな。」デュパン君が言った。

「ほッほう、これは、おっしゃいましたねえ、たしかに新説だ。」

「つまり、自明すぎるんだよ。」

「ハハハハハ!——ハハハハハ!——ホホホホ!」客は、腹をかかえて、笑った。「ああ、デュパン君、お腹がよじれて、笑い死しそうだ！」

「だが、結局、事件というのは、どういうことなんだ?」と、僕が訊いた。

「いや、なに、こうなんだよ」と、総監は、煙草の煙を、大きく、強く、じっと考えこむように、一つ吹いて、それから、やっと椅子に坐った。「ごくかいつまんで話すがね、一つその前に、ぜひ断っておきたいのは、この事件というのは、絶対秘密を要するのだ。もしこのことをだね、僕が人に話したなどということが、知れて見たまえ、僕の今の地位は、おそらく首だと思うんだ」

「まあ、話したまえ」と、僕。

「それとも、よすか」と、デュパン君。

「じゃ、とにかく話すがね、実は、ある高官筋から、ごく内々の知らせがあったのだ。というのは、ある絶対極秘の重要書類が、宮中から盗み出された、と言うんだねえ。盗んだ犯人は、わかっているんだ。この点は、疑いない。現に盗むところを、見られてるんだからね。それから、その書類が、まだ彼の手にあるということも、わかっている」

「どうしてわかるんだね?」と、デュパン君が、訊いた。

「それはね、一つには、書類そのものの性質から、また今一つにはね、もしその書類が、犯人の手から離れたとすればだ、当然すぐにも現われなければならないはずのある結果がね、まだ現われていない、ということから見ても、はっきり言えるんだ――つまりね、犯人とすれば、最後には、それを利用するにちがいないある使い方がある、その使い方が、まだ現われていないのだ。」

「もう少し具体的に言ったら？」と、僕が口をはさんだ。

「よし、じゃ思い切って言ってしまおう。つまり、その書類というのはね、それが所持者に対して、ある種の権力を、しかもその権力が、最も有効に働くような方面において、与えるような性質の書類なんだ。」なにしろこの総監先生、外交官口調が、大好きなのだ。

「相変らず、あまりよくわからんねえ、」と、デュパン君が言う。

「わからない？　じゃ、言うがね、もしその書類の内容がだねえ、名前は言えないが、ある第三者にわかったとなると、これもある高貴な方の名誉が、大いに問題になろうというのだ。そしてまたそのことがね、書類の所有者を、今もいった、それによって名誉と平安を侵された高貴な方に対して、非常に有利な立場に立たせるわけだねえ。」

「だが、その有利な立場という奴はだよ、」と、僕が、口を挟んだ。「被害者が、犯人を知っているという、そのことを、また犯人が知っているという、一にそうした条件にかかっているのじゃないかな。してみると、誰が、そんなことを……。」

「いや、犯人というのは、実は、D――大臣なんだ。あの男なら、どんなことだってやる。人間として然るべきことだろうと、恥ずべきことだろうと、そんなことは、お構いなしにね。それに、その盗み方がまた、大胆不敵なばかりか、実に巧妙きわまるものなのだ。問題のその書類――実をいうと、手紙なんだがね――その書類というのは、被害者が、王宮の奥の間で、たった一人きりの時、受け取られたものなのだ。ところが、その御婦人がだね、それを読んでおられる最中、突然、もう一人ある、やはり高貴な方が、入って来られた。ところが、その人物というのがまた、当の御婦人としては、特に手紙のことを知られたくないと思っていられる人なのだ。大急ぎで、抽斗《ひきだし》の中へつっこんでしまおうとされたのだが、間に合わず、仕方なしに、展《ひろ》げたまま、卓の上に置かれた。ところが、幸い宛名のあるところが、上に出て、中味は隠れていたので、別に相手の注意を惹くようなことは、なかった。ちょうどその時だった、D――大臣が、入って来た。山猫のような彼の眼は、たちまちその手紙を見つけると、宛名の筆蹟は、見覚えがあり、かたがた当の御婦人のひどく狼狽《あわ》てた様子を見るにつけても、てっきり秘密を嗅ぎつけてしまったのだ。いつもの流儀で、要談の方を、さっさと片づけてしまうと、彼は、その問題の手紙と、いくらか似たような手紙を一通取り出した。それを開けて、一応読むような振りをしたが、それがすむと、今度は、問題の手紙と、ピタリと並べて、卓の上へ置いた。それからまた、公務についての話が、十五分間ばかりも、つづいたろうか。さていよいよ退出する時になると、彼は、卓の上から、まんまと他人の手紙を、失敬して行ったというわけさ。本当の所有主《もちぬし》の方も、むろん見ていたが、なにしろ例の第三者が、すぐ脇にいるもので、どうにもその行為を、指摘するわけにもいかないいんだねえ。で、まあ大臣は往ってしまった。あとには、彼自身の手紙――むろん、なんでもない、下らない手紙さ――それが、卓の上に残っているばかりという。」

「なるほど、ねえ、君、」と、デュパン君は、僕の方を向いて、言った。「これで、君の言った、有利な立場を完璧ならしめる条件という奴が、立派に出来上ったわけだねえ――つまり、被害者が、犯人を知っているという、そのことをまた犯人が、知っているという。」

「そうなんだ、」と、総監が答えた。「そして現に、そうして得られた優位な力というものはだねえ、すでにこの数カ月、きわめて危険な程度にまで、政治的目的の上に、利用されて来ているのだ。被害者の方では、もう毎日、これは、なんとかして取り返さなければならないと、そう痛切に、感じておられるのだ。といって、むろん大ッぴらに、取り返すわけにはいかない。その結果、思いあまって、僕のところへ持ち込まれたわけなんだねえ。」

「なるほど、たしかに、これ以上明敏なやり手というものは、望めもしないし、いや、想像もできないだろうからな、」と、濛々たる煙の渦の中から、デュパン君が言った。

「おだてちゃ駄目だよ、」と、総監が答える。「だが、あるいはそんな風の意見も、ないとは言えなかろうねえ。」

「いかにも、君の言う通り、」と、僕が言った。「まだ手紙が、大臣の手にあることだけは、間違いないねえ。つまり、その力の生じるのは、手紙を持っているからであって、使ってしまうことじゃないからねえ。使ってしまえば、力は、なくなるわけさ。」

「まさにその通り、」と、総監は言う。「僕も、そういう確信の下に、捜査をすすめた。まず第一は、大臣官邸を、徹底的に捜索することだったが、そこで一つ、非常に困ったことは、なんとか、彼の知らない間に、やらなくちゃならんということだった。なによりもまず、僕が注意されたことはね、もしも彼が、われわれの方の計画に感づこうものなら、どんな大へんなことが起るかもしれない、ということだった。」

「だが、君たちの方じゃ、」と、僕は言った。「そんな捜索は、すっかりもうお手のものじゃないのかねえ。今までも、パリの警察じゃ、そんなこと、いくらでもやってるわけじゃないの。」

「そりゃ、そうさ。だからこそ、僕は、絶望はしなかった。それに、あの大臣の行状というのも、われわれには、非常に好都合だった。つまり、奴は、しげしげと、夜、家をあけるのだねえ。召使は、そうたくさんいない。しかも主人の居間からは、はるか離れた部屋で寝るし、おまけに、たいていがナポリ者と来ているから、盛りつぶす分には、世話はない。それに、いうまでもあるまいが、僕は、パリ中の部屋なら、どんな部屋だろうと、戸棚だろうと、ちゃんと開く鍵を持っている。で、三月がほどというもの、僕は、ほとんど夜中、親しくD——の官邸を捜索しなかったことは、一晩もない。なにしろ僕の名誉に関することだしね、それに、ごく内々の話だが、言ってしまえば、実は、これには、たいへんな報酬が、かかっているんだよ。そんなわけで、僕は、決して捜索の手をやめたわけではなかったのだが、結局到達した確信というのは、どうやら犯人の奴め、僕以上に、はしこい奴らしい、ということだったね。隅から隅まで、およそ隠されていそうな場所は、根こそぎ調べたつもりだがねえ。」

「だがしかし、こういうことも、ありうるんじゃないかな、」と、僕が言った。「つまりその手紙がだねえ、たしかにそうだろうが、かりにまだ大臣の手にあるとしてもだよ、ただその隠し場所は、官邸以外の場所だということは、ないだろうかねえ?」

「まずないねえ、」と、デュパンの方が答えた。「というのは、現在の宮廷事情と、それに、とりわけD——自身が関係しているあの陰謀問題さ、で、それらの特殊条件を考えてみるとだねえ、どうもその書類が、今すぐにでも使えるということ——つまり、必要さえあれば、すぐにも持ち出せるような状態にあるということ、——それが、非常に重要な点なんじゃないか——持っているということ自体にも、ほとんど劣らない。」

「持ち出せるような状態というと?」と、僕は訊いてみた。

「つまり、いつでも破《やぶ》いてしまえるということさ。」

「なるほど、じゃ、手紙は、明らかに官邸内にあるね。それから、大臣自身が、直接身に着けているということ、これは、もう問題外だと思うな。」

「全くその通り、」と、総監が、相槌を打った。「その方はね、まるで追剥の仕業のように見せて、二度までも待伏せをかけてやった。そして僕自身の目の前で、徹底的に身体検査をやってみた。」

「そんなことは、つまらん無駄骨だねえ、」と、デュパン君が言った。「だって、D——も、まんざら馬鹿じゃあるまいからねえ。ところで、馬鹿でないとすればね、そんな待伏せくらいは、当然最初から、予期してたろうじゃないか。」

「むろん、まんざらの馬鹿じゃあるまいさ、」と、総監は言った。「だが、それなら奴は、詩人だねえ。つまり、詩人と馬鹿とじゃ、ほんの紙一重だもんねえ。」

「いかにも図星だ、」と、デュパン君は、なにか考えにでも耽っているように、メションパイプの煙を、深々と一つ、吹いてから、言った。「もっとも僕だって、へボ詩くらいは、作ったもんだがねえ。」

「それよりも、君のその捜索振りを、もっと詳しく話してみたら、どうだね？」と、僕が言った。

「いや、それはね、まず十分時間をかけて、どこもかも、隈なく捜してみたねえ。そういう事柄にかけちゃ、僕には、永年の経験がある。一部屋、一部屋、建物全体を、調べて行った。一部屋毎に、まる一週間はかけたろうねえ。まず各部屋の家具類を調べる。抽斗という抽斗は、みんな開けてみた。言うまでもあるまいが、ちゃんと正規の訓練を積んだ警察官にとっては、秘密の抽斗なんて、そんなものは、問題じゃないからねえ。この種の家宅捜索で、秘密の抽斗一つ、めっけられないようなら、それは、よほどの間抜けというもんだ。そんなものは、朝飯前さ。いったい、すべての戸棚、箪笥というものにはね、必ずある一定量――つまり、空間のだね――というものが、あるもんだ。ところで、僕らは、実に精確な物差を持っている。一ライン（一インチの十二分の一）の五十分の一だって、決して見逃すことはないからね。戸棚の次は、椅子を調べた。クッションは、ほら、君も知ってるだろう、いつも僕の使ってるあの細い、長い針で、一々探ってみた。テーブルからは、上板まで外したね。」

「なぜ、そんなことするんだ？」

「テーブルだとか、テーブル類似の家具類というものはね、物を隠そうという時に、ちゃんと上板が、外れるようになってるのがあるんだ。上板を外し、脚に穴を開けて、その中へ品物を入れると、あとまた上板を元通りにするといった工合にね。寝台の柱の、頭や底も、やはり同じように、使われることがある。」

「だが、そんな穴なら、叩いてみたら、わかろうじゃないか？」

「駄目、駄目。品物を入れる時にね、周りを綿で十分包んでみたまえ、わかりゃしない。それに、僕らの場合は、音を立てることは、絶対に禁物なんだ。」

「しかし、外すといったところでね、――今君が言ったような仕方で、物を隠せそうな家具調度類を、片っ端から、みんなことごとく、壊してみるってわけには、いかなかろうじゃないか。たとえば、手紙を撚ってね、大形の編物針程度の形、かさの、細い小撚りにするとすれば、どうだろう、これなら、椅子の桟の中へだって、入るぜ。まさか椅子を、一つ残らず、分解してみたわけじゃあるまい？」

「そりゃ、そうさ。だが、それには、もっといい方法があるんだよ――それはね、非常に強い虫眼鏡でもってね、官邸中の椅子という椅子の桟、それればかりじゃない、家具と名のつくものは、すべてその接目を、検査して行ったんだ。もしちょっとでも、最近どうかした跡があれば、すぐさま目についたはずだ。たとえばほんの細かい錐屑《きりくず》一粒が、まるで林檎大に見えるんだからね。少しでも膠付けに、異常があったり、――つまり、接目が、普通以上に開いていたりしてみたまえ――露顕は、まず疑いなしだねえ。」

「むろん鏡も、つまり板と硝子との間だが、調べたろうねえ。それから、寝台、寝具、カーテン、敷物の類も？」

「むろん調べたとも。で、まあそんな風にして、家具類が、一つ残らずすむと、今度は家そのものを検査したね。まず家の表面全体を区分別して、見落しのないように、番号をつけた。それから屋敷中、一平方インチ毎に、例の虫眼鏡で調べて行った。すぐ隣りの家二軒まで含めてね。」

「隣りの家二軒まで？」僕は、思わず叫んだ。「そりゃまた、大へんだったろうねえ。」

「そう。だが、なにしろ報酬の話が、べらぼうだったからね。」

「じゃ、家周りの地面も入れてかね？」

「幸い地面は、みんな煉瓦鋪《れんがじき》になってたもんでね、割合に、手間はかからなかったわけさ。煉瓦の間の苔を、よく調べたんだが、動かした形跡は、全然ない。」

「D――のいろんな書類、それから書庫の本も、むろん調べたろうねえ？」

「もちろんさ。包みという包みは、残らず開けてみた。本は、ただ開けてみるばかりでなく、各巻毎に、一頁一頁めくって行った。よく警察官たちでさえやるのだが、ただ振ってみるだけじゃ、満足しなかったのだ。本の表紙の厚さまで、実に精確に測ったばかりか、これまた虫眼鏡で、穴の開くように、調べ上げた。もし最近にでも、装釘に手を加えたような形跡があったら、これはもう絶対に、見逃しっこはなかったはずだ。ことに、製本屋から届いたばかりだという数冊などは、一々縦に、針で入念に探ってみたものだった。」

「絨毯の下になった床は、調べたろうねえ?」

「むろん。絨毯は、一枚残らず引っ剝《べ》がし、床板は、虫眼鏡で調べた。」

「で、壁紙は?」

「調べた。」

「それから、地下窖《ちかこう》も見たね?」

「見た。」

「それじゃ、やはり君の見当違いというものだったんだろうねえ。つまり、君の想像と違って、どうも手紙は、もう屋敷内には、ないんじゃないかな。」

「僕も、そう思うんだ、」と、総監が言った。「ところで、デュパン君、いったいどうしたらいいもんだろうねえ?」

「もっと完全に、家宅捜索をやるんだねえ。」

「そりゃ、もう無駄だよ、」と、総監が答えた。「手紙が、もうあの官邸にないことは、僕が、こうして呼吸をしている、これと同じくらい確かなことなんだ。」

「だが、僕には、それよりほかに助言はない、」と、デュパン君は言う。「ところで、君は、その手紙の特徴は、精確に知ってるんだろうねえ?」

「もちろんだとも!」——言いながら、総監は、手帳を出して、その手紙の中味の様子、またとりわけ外見の特徴を、細々と読み上げ出した。それがすむと、彼は、帰って行ったが、あの好人物としては、この時ほどがっかりしていた様子は、かつて見たことがなかった。

それから一月ほどして、彼は、またやって来たが、その時も、僕らの方は、またほぼ相変らずの恰好だった。彼もパイプを出し、腰を下して、しばらくは世間話をしていたが、とうとう僕の方から、切り出した。

「ところで、G——君、例の盗まれた手紙は、どうなった? とうとうあの大臣だけには勝てっこないと、すっかり諦めたようだね?」

「畜生、忌々しい話だが——そうなんだ。デュパン君の言う通りにね、もう一度家宅捜索のやり直しもしてみた、——だが、やっぱり予期した通りに、無駄骨だった。」

「ところで、報酬というのは、いくらだって話だったかねえ?」と、デュパン君が、口を出した。

「いや、大したもんだよ——よくまあ出すと言いたいほどさ——精確にいくらってことは、ちょっと言いかねるがね、このことだけは、言っておいていいと思うんだ。つまり僕のために、あの手紙を手に入れてくれる人間があれば、僕名前の小切手で、五万フランは、すぐと呈上してもいいってことだよ。実はね、手紙の重要さは、日一日と増して来ているんだ。だもんでね、報酬の方も、最近二倍になった。だが、たとえ三倍になったところでだね、僕は、もうこれ以上のことは、なにもできない。」

「ふむ、なるほど、」と、デュパン君は、パイプの煙を吹かしながら、その合間合間に、ポツリポツリと言い出した。「じゃァね、僕は——思うんだが、ね、G——君、君は、——この問題について、——最善の努力を尽したとは——思えないねえ。もっとなんとか——してみたら、どうだねえ?」

「どう? どんな風にだね?」

「たとえばだねえ——フーッ、フーッ——この問題にしてもだよ、——フーッ、フーッ——少しは他人の意見というものも、採用してみてはどうか、ということだねえ、え? ——フーッ、フーッ、フーッ——君、アバーネシィの話ってのを、知ってる?」

「アバーネシィ？　誰が、そんなもの知るもんか、くだらない！」

「なるほど、下る、下らんは、御勝手だがね。だが、むかし、ある金持で、ひどい吝嗇家《けちんぼう》がいたというんだねえ、ところが、この男が、アバーネシィに、なにか医療上の意見を、無料《ただ》聞きしようと思ったんだな。そこで、そのために、二人会った時、はじめは、さりげない世間話で切り出しながら、それとなく自分の症状を、まるで誰か仮定の患者の話の体にして、訴えてみたんだな。

「『で、その男の症状ってのは、斯様、斯様らしいんですがね。ところで、どうでしょう、先生なら、どんな薬をおすすめになります？』と、まあ言った工合に、吝嗇家《けちんぼ》先生、切り出したわけさ。

「そこは流石《さすが》にアバーネシィ先生だな、『どんな薬をすすめるだって！　そりゃ、むろん医者の忠告をすすめるねえ』と、そう答えたと言うんだよ。」

「だが、僕は、喜んで忠告は用いるよ、そのためには、お礼だって、ちゃんとする、」と、総監は、少しムッとして、答えた。「現にこの問題で、力をかしてくれるものさえあれば、嘘もなにもない、本当に、五万フラン払うと言ってるじゃないか。」

「それなら、一つ、」と、言ったかと思うと、デュパン君は、抽斗を開けて、小切手帳を取り出した。「今の五万フランね、僕のために、振り出してくれてもいいだろうな。

署名さえしてくれれば、手紙は、すぐ渡す。」

僕は、すっかり驚いてしまった。総監にいたっては、まるで雷にでも打たれたみたいだった。しばらくは、口も利けず、身動きもせず、ただポカンと口を開け、眼玉が飛び出さんばかりの顔をして、狐につままれたように、デュパン君を眺めていた。が、ややあって、いくらか我に返ると、ペンを取って、たびたび書く手をやめたり、呆れたように、虚ろな眼差をしながらも、とにかく五万フランの小切手を書いて、署名をして、テーブル越しに、デュパン君に渡した。デュパン君は、念入りに調べていたが、それがすむと、紙入れに納めた。それから、書物机の抽斗を開けると、一通の手紙を取り出して、総監に渡した。総監は、ほとんど飛びかからんばかりに、摑み取って、震える手で、それを開き、大急ぎで内容《なかみ》を読み取ると、もう狂人のように、戸口の方へよろめいて行き、とうとう無作法にも、さっきデュパン君から小切手を要求されて以来というもの、全く一言として口を利くでなく、そのまま部屋から、そしてまた家から、飛び出して往ってしまった。

彼が往ってしまうと、はじめてデュパン君は、わけを話し出した。

「パリの警察って奴はね、あれはあれで、なかなか有能じゃあるんだ。粘りもあり、なかなか利口で、抜目ないところもある。それに職務上必要な、主な知識は、これまた十分心得ているのだ。だから、あのG——の奴がね、大臣官邸の家宅捜索振りを、詳細に話してくれた時にも、僕は、なるほど奴としては、十二分の捜索をしたものだと、その点は、完全に信用した——だが、いいかね、それは、どこまでも奴の能力《はたらき》の範囲内でだよ。」

「奴の能力の範囲というと？」

「そうなんだ、」と、デュパン君は、言った。「彼らの採用している方法はね、それとしては、まず最上のものであるばかりでなく、しかもそれらを、完全無欠というところまで、実行しているといっていい。だから、もしあの手紙がだねえ、彼らの捜査能力の範囲内で、隠されていたとすればだねえ、そりゃ、むろん奴らは、発見していたにちがいない。」

僕は、ただ笑って、聴いていた——だが、彼の言葉は、終始おそろしく真剣だった。

「というわけで、」と、彼はふたたび話をつづけた。「彼らがやった捜査方法はだねえ、それはそれとして立派なものだったし、またその実施の点でも、間然するところはなかった。ただ彼らの欠陥というのは、それが、今度の事件、そしてまた今度の相手には、一向当て嵌らなかったということなんだ。なるほど、実に巧妙な方法はやっていたが、それが、あのG——君にあっては、いわば一種のプロクラテスの寝台だった。つまり、彼の手筈を、すべてその寝台の方に、無理に当て嵌めていたわけさ。ところが、彼は、当面の問題に対して、いつも考えすぎたり、考えなさすぎたりしては、失敗《しくじ》っているのだ。そしてその点では、小学生の頭の方が、よっぽど上なんだ。僕は、一人、八つくらいの子供を知っているが、この子がまた、あの『丁半ゲーム』という奴に、非常に強くて、すっかりみんなから、感心されていた。いったい『丁半ゲーム』という奴は、弾石《おはじき》でやる遊びだが、非常に簡単な遊びだ。一人が、この弾石を、幾つか手に持って、それが、丁か半かと相手に訊くのだ。うまく当れば、当てた方が、一つ取る。当らなければ、取られるのだ。ところで、今僕の言った子供はね、とうとう学校中の弾石を、全部残らず取ってしまったというのだ。もちろんそれには、言い当てるあるプリンシプルがあった。そしてそのプリンシプルというのは、ただ相手の機敏さを観察し、その程度を測るというだけなのだねえ。たとえば相手が、札つきの馬鹿だとする。そいつが石を握って、『丁か、半か、』と訊くね。例の子供は、半と答えて、敗けるとするね。だが、二度目からは、きっと勝つ。というのは、彼は、ひそかに考えるのだ。『この馬鹿め、はじめ丁と握ったな。してみると、此奴《こいつ》の知恵の程度は、今度は、せいぜい半を握るという程度にすぎん。だから、こっちも半と行こう。』そこで、半と言い当てて、勝つわけさ。ところで、これより少しましな馬鹿の場合はね、彼は、まずこんな風に考えるのだな、

『奴は、僕がはじめに、半と行ったことを知っている。だから、二度目は、一応最初の考えでは、ちょうどあの最初の馬鹿がしたように、やはりまず簡単に、丁を半に変えることを、考えるにちがいない。だが、今度の此奴はね、そこで考え直して、それでは、あまりに単純すぎる、という風に考える。で、結局はじめのままで、また丁と握ることになるわけだ。だから、ここは一つ、丁と行こう。』――と、そこで丁と出て、ちゃんと勝つ。ところで、今のこの小学生の推理方法だがね、仲間の子供たちは、運だというのだが――結局のところは、果して何だろうか、というんだねえ。」

「つまり、それは、推理者の知力を、相手の知力と、ぴったり一致させるという、ただそれだけのことだろう。」

「そうなんだ、」と、デュパン君は言った。「そこで、その子供にね、いわば成功の基ともいうべき完全な知力の一致だが、それを、いったいどんな方法でやるのか、訊いてみたところがね、彼の答は、こうなんだ、ね。つまり『人が、利口か、馬鹿か、善人か、悪人か、その程度を知ろうと思う時、それからまたその男が、ちょうどその時、どんなことを考えているか、知ろうと思う時にはね、まず自分の顔の表情を、できるだけ精確に、相手の表情に似せる、そしてまるでその表情に応ずるというか、一致するというか、あたかもそんな風に、どんな思想、感情が、自分の心に浮んで来るか、じっと待ってみる、』と、そう答えたというんだねえ。ところが、この小学生の答というのはね、考えてみると、ロシュフコーだの、ラ・ブリュイエールだの、マキアヴェルリだの、カンパネルラだの、ああした連中の特徴のように言われる、あの偽りの深遠さね、あの底に、ちゃんと流れているものなのだよ。」

「ところが、その推理者の知力を、相手のそれに一致させるという奴ね、もし僕の聴き方が、間違ってさえいなければ、それは、一に相手の知力を測定する精確さ如何に、かかっているわけだろう？」

「そう、実際的価値の問題としては、たしかにそうだ。そしてあの総監先生や、部下どもはね、第一には、この一致ということがないために、第二には、相手の知力に対する測定の拙さ、というよりは、むしろ全然測定などしないんだな、そのために、いつも見事に失敗しているのだ。奴らは、ただ自分たち自身の巧智しか考えない。で、たとえば何かを捜すとするだろう、その時だって、自分たちなら、こう隠すだろうという方法、ただそれだけしか浮ばない。むろんそれにはそれで、大いに意味はあるわけだよ——つまり、彼らの巧智というものは、そのまま普通大衆の巧智の、忠実な典型だという意味においてだね。だが、一度相手の悪人の知恵だがね、彼ら自身のそれと、質的に違うという場合になってみろ、彼らは、てきめん、出し抜かれる。このことは、相手が上手《うわて》の場合にはね、こりゃもういつも決って起ることだし、相手が下手《したて》の場合でも、やはりたいていはそうなるのだ。つまり、奴らの調査には、全然原理の融通性って奴が、ないんだねえ。せいぜい、なにか非常な事件が起るとか、——なにか途轍もない報酬が出るとかすると、仕方がない、奴らの旧態依然たる実施方法だけを、いくらか広げてみたり、大袈裟なやり方でやったりすることはあるが、さてかんじんの原理原則には、決して手を触れない。たとえば、今度のD——事件にしてもだ、奴らの行動原理を変えたなどということが、一つでもあったか？　あの孔を開ける、針で探る、叩いてみる、虫眼鏡で調べる、さては建物の表面を、きちんと一インチ平方だかに区分して、番号をつける——いやはや、これらは一つ残らず、たった一つの、あるいは一連の捜査原理を、ただきわめて大袈裟に、応用したというのにすぎないじゃないか？　しかもその原理という奴が、またね、あの総監閣下が、長い長い在職中に、見慣れて来た人間の巧智観だな、それが幾つかある、ただそれだけに基づいた原理なんだからねえ。君も聞いたろう？彼によると、人間ってものはことごとく、たとえば手紙を隠すといえばだねえ、それは、必ずしも椅子の脚に、錐で孔を開けないにしても、少くともどこか容易に目につかない孔か、隅っこ、——つまり、椅子の脚の錐穴に隠す流儀と、全く同じ型の考えなんだが、必ずそうした場所に隠すものと、てんで頭から決めてかかっているんだ。それから、これもついでにわかったろうが、そのような変った、妙な隠し場所というものはね、ごく普通の場合だけに適当したもので、したがって、そのような方法を用いるものは、ごく平凡、普通の知力にすぎん。というのはだねえ、いったいものを隠すという場合にはね、そのやり方に、こうした変った、妙な場所を選ぶということは、当然まず考えられることであり、また事実その通り、予想されるのだ。だから、この場合、その発見は、決して捜索者の叡智如何によるのではなく、ただ単に労苦と、忍耐と、決意によるものにすぎない。したがって、一たび事が重大な場合には——ということは、方便的に考えれば、報酬が大きいというのと、同じことなのだがね——こうした条件は、必ずついてくるわけさ。これで、君も、いつか僕が言ったこと、つまり、もしあの手紙が、総監閣下の調査範囲内のどこかにさえ、隠されていたなら、——ということは、さらに言いかえればだよ、もしその隠匿の方針、原理が、総監閣下の原理の中にあるものだったらだねえ、早晩その発見は、もはや疑問の余地はなかったろうと言った、その意味が、もはやわかってくれたろうと思うんだ。ところが、あの総監閣下は、完全にごまかされてしまった。そして先生の失敗の遠因は、実に次の仮定にある、すなわち、あの大臣は馬鹿である、なんとなれば、彼は、詩人として名声を成しているから、という結論を下したところにあるのだ。すべての馬鹿は、詩人なりと、そうこの総監閣下は、なんとなく思っているのだねえ。そしてそこから、逆に、すべての詩人は、馬鹿なりと推論した点で、すっかり媒辞不周延《ノン・ディストリビューシオ・メディイ》の誤謬に陥ってしまったわけさ。」

「だが、大臣が詩人だというのは、本当かねえ？」と、僕は反問した。「彼に、兄弟が二人あることは、知っている。そして二人とも、文名を馳《は》せていることは、事実さ。だが、あの大臣の方は、たしか微分学に関する、なかなか篤学の著述があったんじゃないかな。彼は、数学者だよ、詩人じゃない。」

「それは、君が違う。僕は、彼をよく知ってるが、両方だよ。つまり詩人兼数学者としては、彼の推理は、実に立派だ。だが、単なる数学者としてなら、彼の推理力は、おそらくゼロだったろうし、したがって、たちまち総監閣下の思う壺にはまったろうよ。」

「これは、驚いたねえ。というのは、それじゃ、まるで世間の通説と、正反対の意見じゃないか。いくら君だって、何百年にわたって、すでに検討しつくされた考えを、まさか否定しようというんじゃあるまい。数学的推理こそ、もっとも優れた推理だってことは、もう長い間の定説だぜ。」

「いや、『一切の通念、また一切の世間承認ずみの俗見などというものは、要するに愚《イリヤ・ア・パリエ・ク・トゥト・イデー・ピュブリーク、トゥト・コンヴァンシ》劣きわまるものと思って間違いない《オン・ルシュ・エ・チュヌ・ソティーズ》。なんとなれば、それはすべて俗衆向きにできたも《カール・エ・ラ・コンヴニュ・オ・プリュ・》のだからである《グラン・ノンブル》、』と、デュパン君は、シャンフォールの言葉を引いて、答えた。「なるほど、君がいま言ったような世間一般の謬見を、ほかならぬ数学者自身が、流布させることに、全力を尽して来たという事実は、僕も認めてよい。だが、謬見は、いくら真理として流布されようと、やはり謬見さ。たとえばだねえ、奴らは、もっと大事な事柄に応用してこそ然るべき技術をもって、いつとはなしに、『分析』という言葉を、代数学に適用することに成功した。この欺瞞の発明者は、フランス人だよ。だが、もし言葉というものが、かりにも重要なものなら、――つまり、言葉というものが、もしその適用の可能ということだけで、価値を生じるものならばだねえ、――『分析』という言葉が、ちっとも代数学を意味しないことは、なおラテン語の‘ambitus’が、必ずしも‘ambition’を意味せず、‘religio’が、‘religion’を意味せず、また‘homines honesti’が、決して‘honourable men’を意味しないのと、同じなんだよ。」

「まるで君は、パリの代数学者相手に、喧嘩してるみたいだねえ。だが、まあやりたまえ。」

「つまり僕はね、純粋に抽象的な論理以外の形式でなされる推理の効用、したがってまたその価値に対して、大きな疑問を持つんだねえ。ことに、数学的研究によって引き出された推論には、僕は、大いに異論がある。数学というものは、形式と量との科学なんだ。つまり数学的推理とは、単に形式と量とに関してなされた観察にのみ、通用しうる論理にすぎない。したがって、いわゆる純粋代数学と呼ばれるものの真理が、そのままあたかも抽象的ないし普遍的真理であるかの如く、考えられるところに、非常な謬《あやま》りがあるんだねえ。ところで、これは、実に大へんな謬見だと思うんだが、それだけに、これが非常に弘く受け容れられているということに対しては、僕は、全く驚いているわけさ。数学の公理は、決して普遍的真理の公理じゃないんだ。関係――つまり形式と量との関係だが、――その関係についてだけは真理であることも、たとえば、一たび倫理関係になると、完全に謬っているという場合も、決して珍しくないのだ。つまり倫理学にあっては、部分の総和は、全体に等しいなどということは、まずたいていの場合、嘘だと思って間違いない。化学においてすら、もうこの公理は、駄目なのだ。動機の考察においても、またそうだ。というのは、たとえば、それぞれある一定の価値をもった動機が、二つあるとするね、ところが、それを合せてみるとだねえ、その価値は、必ずしも、個々の価値の和に等しい、ということにはならないのだ。そのほか、関係という範囲内においてだけ、真理であるという数学的真理は、いくらでもある。ところが、数学者という奴はね、一種の習性からだろうが、この有限的真理をもって、あたかもそれが、絶対普遍の適用性でも持っているかのように、論じるのだし――世間もまた、そう考えるんだねえ。ブライアントがね、あの該博な著述『神話学』の中で、ちょうどこれに似た誤謬の根源を、挙げているね。『異教徒の神話というものは、今日もはや誰も信じはしない。そのくせ、われわれは、絶えずわれわれを忘れて、あたかもそれら神話が、実在するものの如く考えて、そこから推論を行う、』というのだねえ。ところが、代数学者と来た日には、彼ら自身異教徒なんで、したがって、『異教徒の神話』を、そのまま信じているのだな。だから、彼らのやる推論は、うっかり忘れてするというよりは、僕らには全くわからないが、むしろ頭が空っぽなために、やっているわけさ。早くいえばだね、単なる数学者で、等根以外のことで、信用のできる人間だとか、あるいは x^2+px が、絶対無条件に、イークォル q だということを、いわば一種の信条として、ひそかに信じていない人間には、かつて一人として、お目にかかったことがないといってよい。なんなら、まあ験《ため》しにね、それら数学者先生たちに言って見たまえ、x^2+px が、必ずしもイークォル q でない場合もありうるよと。だが、いいかね、君のその意味を説明してしまったら、まずできるだけ大急ぎで、奴の手の届かないところまで、逃げることだねえ。でないと、きっと張り倒されるかもしれないからね。」

　この最後の言葉には、僕も、ただ笑って聴くだけだったが、デュパン君は、またしても話をつづけた。「で、もしあの大臣がだねえ、単に数学者だけだったらだよ、わが総監閣下も、よもやこんな小切手をくれる必要は、なかったろう、ということなんだ。ところが、僕の知るところじゃ、奴は、数学者であり、同時にまた詩人だった。だから、僕は、彼をめぐるいろんな事情も考えた上で、ちゃんと、彼の能力に合うような方法を、採ったのだ。それに、僕はまた、彼が廷臣であり、また大胆な陰謀屋《アントリガン》であることも、知っていた。で、僕は、考えたねえ、かりにもそうした人間が、普通の警察のやり口を、知らないはずがないと。たとえば、彼を待伏せしたというが、そんなことくらい、どうして予想しない彼だろうか、——ところで、その後の事実によってみても、果してちゃんと、予期してたんだからねえ。それから、官邸の秘密捜索もまたね、おそらく予想していたにちがいない、と思った。しばしば、夜、家を空けたなどということも、G——の奴は、勿怪《もっけ》の幸いだなどと喜んでいたがね、僕の考えじゃ、むしろ警察の徹底的捜索に、うまく機会を与えてやって、ちっとでも早く、警察の奴らにね、手紙はもう屋敷内にはないという確信を与えてやろうという、単なる術《て》としか思えなかった——また事実、G——などは、その通り信じてしまったんだからね。それから、僕は、またこうも思った、つまり、さっきから僕は、隠匿物捜索に当って警察のとる、いわば千篇一律の原理について、ことさら念入りに話したつもりだが、あの考え方全体ね、——これもまた、あの通りそのまま、きっとD——の奴の頭に浮んだに相違ないと思った。ということはね、彼は、物の片隅などという普通の隠し場所、これは、必然的に軽蔑するだろう。つまり、あの官邸の、たとえどのような思い掛けない片隅、どのような複雑な隠し場所にしたところでだねえ、それは、総監の眼、探針、錐、虫眼鏡の前には、ごくその辺普通の戸棚同様、ほとんど開け放しも同然だということに、まさか気がつかないほど馬鹿だとは、とうてい思えなかったのだ。結局、奴は、よし熟慮の末の選択じゃないにしてもだねえ、むしろ当然の結論として、単純という方法を取るほかあるまいと、僕は、見たのだな。多分、君は憶えてるだろうが、僕らがはじめて会った時にね、僕は、総監に、君がこの事件で、そんなに閉口しているのは、多分事件が、あまり自明すぎるからかもしれんね、といってやった、すると、奴め、腹を抱えて笑ったろう？」

「そう、彼が、とても可笑しがったのを、憶えてるねえ。実際、ひきつけでも来るんじゃないかと思った。」

が、そんなことにはお構いなく、デュパン君の話はつづいた。「物質界という奴にはね、精神界と非常によく似た点が、どっさりある。だからこそ、隠喩や直喩というものがだねえ、単に叙述の修飾ばかりでなく、議論の説得力を強めるのに役立つという、あの修辞的独断さを、なにかさも真実らしく思わせるというわけなんだ。たとえば、例の慣性《ヴィス・イナーシア》の定律という奴だねえ、あれは、どうも物理学においても、形而上学においても、同じらしい。大きな物体の方が、小さな物体よりも、動かすのに困難だということ、したがってまた、それに伴う運動量《モーメンタム》は、その困難さに比例するということが、物理学においても真であるようにだねえ、形而上学においてもまたそうらしい。大きな知的能力というものは、なるほど、より低い知能よりも、その活動の点で、より強力であり、より恒常性があり、より重味はあるかもしれないさ、だが、それでいてさて動くとなると、なかなか動き出さない、そして、かりに動き出したとしても、最初のうちは、なにかモジモジしたようで、ひどくためらい勝ちなのだ。つまり、もう一度別の言葉で言えばさ、君は、いったい商店の扉口でね、どういった看板が、一番人目につくと思う？考えたことがあるかね？」

「さあ、そんなこと、考えたことないが。」

「じゃね、地図を使ってする字探し遊びって奴が、あるだろう、」と、彼は、ふたたびつづけた。「一方が、町なり、河なり、州なり、国なり、つまり、なんでもいいから、ごたごたッとなってる地図の上の名を言って、相手に、それを探させるんだねえ。ところが、それが初心者に限って、一番細かい字で書いてある名前を挙げてだねえ、相手を困らせようとするんだ。ところが、玄人は、反対にね、たとえば地図の端から端までに亘って書いてあるような、大きな字の名前を選ぶんだな。ちょうど、それはね、あんまり大きな字で書き過ぎた、往来の看板やビラと同じでね、あんまり目立ちすぎて、かえって目につかないってことがあるんだねえ。この場合の肉体的見落しはね、ちょうどあの、あまりにもわかりきった明々白々事のために、かえって気づかれずに過ぎてしまうという、精神的不注意の場合と、全く同じわけなんだ。ところが、あの総監閣下はだね、馬鹿なんだか、利口過ぎるんだか、それは知らないが、どうもその辺のことが、全然わかっていないらしい。つまり、大臣がだねえ、あの手紙を、まるで誰にでも目につく、いわば鼻の先みたいなところに置いている、そしてそのことが、かえって一番人目につかない結果になっているという、そうした方法の可能性というか、蓋然性というか、それには、とんと思い及んでいないんだねえ。

「だが、僕はね、あのD——という男の、大胆不敵にして、しかも実に細心きわまる思考力、それから、もし彼がね、あの手紙を有効に利用しようという魂胆ならばだよ、これは、なんとしても常住不断に手許に置いているに相違ないということ、それから、さらにだねえ、これは総監から聞いたわけだが、それが、どうしても彼の通常の捜査範囲内には、隠されていないという決定的証言だ、——で、僕は、これらの事実を、考えてみればみるほど、到達した確信はだねえ、これは、もうD——の奴、手紙を隠すのに、結局は、全然はじめから隠そうとしないという、いわば実に意味深長な、また実に利口な方法をとっているにちがいない、ということだった。

「で、まあそんな風に考えてだねえ、僕は、まず緑の色眼鏡を用意すると、ある朝、ほんのひょっこり訪ねて来たという風で、大臣官邸へ出かけて行った。D――は、ちょうど在宅だったが、例によって、欠伸《あくび》をしたり、ブラブラ歩き廻ったり、いやもう退屈《アンニュイ》でたまらないといったような風だった。むろん実を言うとだね、現代おそらく、彼ほどの精力的な人間はいまい、――が、それは、ただ人の見ていない時だけなんだな。

「で、僕もね、それに負けないように、どうも近頃、すっかり眼が重くなって、眼鏡が要るようになってね、などとこぼしながらね、見かけは、奴の話にすっかり聴きとれているような振りをしてさ、その実は、色眼鏡に隠れて、じっと丹念に、部屋中を眺め廻してみた。

「中でも、特に気をつけたのはね、彼のすぐ傍にあった、大きな書き物卓だった。なにか楽器が、一つ二つと、本が五、六冊と、それになんだか、いろんな手紙や書類のようなものが、雑然と載っかってるんだねえ。だが、こいつは、ずいぶん長い間、じっと念入りに観察してみたがね、どうも特に怪しいと思われるようなものは、なんにもない。

「だが、さらに部屋の中を見通しているうちにだねえ、とうとう僕は、ふとボール紙製の、ひどい安物で、チャチなものだが、名刺差が一つ、目についた。炉棚《マントルピース》の中ほど、そのちょっと下になった、小さな真鍮のツマミに、汚れた青リボンでぶら下げてあるのだが、それが、三段か四段、仕切りになってね、名刺が五、六枚と、手紙が一通、差さっているのだ。手紙の方は、くしゃくしゃになって、ひどく汚れているばかりか、真中から、危うく二つに裂けかかっている——つまり、はじめは、こんな手紙、不用だというので、破り棄てようとしたのがね、ふと思い返して、ついそのままになってしまったとでもいった、いかにも恰好なんだな。むしろこれ見よがしに、D——の組合せ花押の入った、大きな、黒い証印が、捺してあり、筆蹟は、明らかに女の細字で、直接大臣宛のものだった。しかもそれが、名刺差の最上段にね、実に無造作に、いや、いかにも不用の紙屑とでもいわないばかりにね、突っ込んであるんだねえ。

「で、僕はね、この手紙を、チラッと見るや否や、てっきり捜してるのは、これだなと決めた。なるほど、見たところはね、いつかG——が、事細かに読んで聞かしてくれたあれとは、まるで違ってるさ。こっちは、D——の花押の入った、大きな、黒い証印だが、あちらは、小さくて、赤い、しかもS——公爵家の紋章入りだってことだった。こっちは、宛名も、大臣宛だという上に、筆蹟は、女手の細字と来ている。問題の手紙の上書は、たしかさる王族に宛てたもので、書体も、ひどく勁い、しっかりした筆蹟だったはずだ。してみると、一致点は、ただ手紙の大きさ、それだけなんだねえ。ところが、この差異《ちがい》がひどすぎるということだがねえ、たとえば、まず汚れていること、それから、ふだんのD——の、几帳面な本性《たち》とはあまりにも異って、——つまり、だからこそ、見るものに、さも価値のない書類だと思わせるための、術《て》ではないかと疑わせるわけだが、——手紙が、わざわざ汚れて、裂けかかっていること、——さらに、問題は、置場所だ。それこそどんな訪問者にも丸見えだという、あまりにも目立つ場所に置いてあること、そしてそれは、当然僕が、あらかじめ到達していた結論に、まさしく寸分違わず合うわけなのだが、それやこれやを考えてみると、これは、もう疑う意志をもって来た者にとっては、ただただ嫌疑を濃くするよりほかなかったわけさ。

「僕は、できるだけ訪問を長びかせた。奴を相手に、奴がもう夢中になって、乗り出して来るに決っている話題を、盛んに議論し合いながらだねえ、僕の注意は、実は一刻として、手紙から眼を離さなかった。まあ、そんな風に観察してだねえ、僕は、手紙の外観、それから名刺差への差さり方などをね、すっかり記憶に留めてしまった。しかも、その間に、とうとう気がついたあることはね、あるいは考えられるかもしれぬ、ささやかな疑点すら、すべて一挙に拭い去った。つまりね、手紙の縁を、よく観察しているうちに、それがまた必要以上に、擦れていることに、気がついたんだな。もっと詳しく言うとね、堅い紙をだよ、一度折って、紙折篦で押して、それからまた今度は、ちょうど元の同じ折目をだねえ、反対側に折り返した場合にできる、そのささくれた折目なんだねえ。これだけで、もう十分だった。ちょうど手袋をするように、手紙をくるりと裏返して、あと上書を書き替えて、証印をし直したことは、明瞭だった。僕は、大臣に挨拶をするとね、わざと金の嗅煙草入れを、卓の上に残して、そのまま倉皇として暇を告げた。

「翌朝はね、煙草入れをもらいにということで行って、また前日の議論を、熱心に蒸し返し出した。ところがさ、そうやっているうちにだよ、なにかピストルでも射ったような音が、突然、官邸の窓の下でしてね、つづいて、おそろしい恐怖の悲鳴、さらに脅えたような群集の叫びが、聞えた。D――の奴は、早速飛んで行って、窓を開けて、外をのぞいた。そのときだった、僕は、名刺差のところへ行くと、手紙を取って、ポケットへ入れてね、そしてあとには、ちゃんと家で、念入りに用意してきていた同じような手紙――少くとも外観だけはねえ――そいつを、そっと入れて置いた、――なに、D――の花押くらい、パンでこさえた印形で、すぐできるさ。

「ところで、往来の騒ぎというのはね、小銃をもった一人の男が、頭でもどうかしたものか、女子供の大勢いる中で、射《ぶ》っ放《ぱな》してしまったということだった。もっとも、弾丸は入っていなかった、ということがわかったもんでね、いずれ狂人か、酔払いの所業だろうってことになって、男は、そのまま往っちまった。僕も、かんじんの目的物を手に入れるとね、素知らぬ顔で、D――の傍へ行っていたが、男が往っちまうと、D――の奴は、また窓のところから戻って来た。それからまもなく、僕は、暇を告げた。ところで、その贋狂人というのもね、実は、僕が金で傭った男だったのさ。」

「だが、それにしてもだねえ、その代りの手紙を置いたというのは、どういう意味なんだね?」と、僕は訊いた。「なにも最初に行った時にね、堂々と取り返して、帰って来たらいいじゃないか?」

「いや、D――って奴は、実に無鉄砲な男でね、しかも勇敢と来ている。その上、奴の官邸にはね、彼のためなら、死をだに辞せずという召使たちもいるはずだ。君のいうような乱暴な真似でもしてみたまえ、まず生きて官邸を出ることは、不可能だったろうねえ。パリの市民たちにとっても、まず僕は、そのまま杳として消息不明さ。もっとも僕には、ほかにも一つ目的があった。政治上の、僕の贔屓《ひいき》についちゃ、君も知ってるだろうねえ。つまり、今度の問題についちゃ、僕は、問題の夫人の味方なんだ。この一年半というもの、夫人は、すっかりD――の薬籠中のものだった。ところが、今や完全に、逆になったわけだねえ。――だって、見たまえ、奴は、手紙がなくなったことを、全然知らないわけだろう、しかもそれでいて、そのままあるかのようなつもりで、いろいろ無理を通して来るわけだからね。これじゃ、いやでも政治的失脚は、目に見えている。しかもその没落は、一挙に来るばかりでなく、まことに不様《ぶざま》なものだろうよ。『地獄への降り道は、易し《ファキリス・デスケンスス・アヴェルニ》』と、口で言うのは、まことに易しいがね、いや、なに、すべて上り下りってものはね、ほら、あのカタラーニが、歌の歌い方について、言っているようにね、下りよりも、案外上りの方が、はるかに易しいもんなんだよ。少くとも今度の場合はだねえ、僕は、落っこちて行く奴に、微塵も同情――いや、憐憫をさえ、――感じないねえ。いわゆる『怖るべき怪物《モンストルム・ホルレンドゥム》』だよ、無法なる天才だよ、あの男は。だが、それにしても、正直な話、ただ一つ、僕の知りたいのはね、あの総監閣下が『さる方』などという妙な言い方をした、例の夫人に挑まれてさ、いよいよ僕の置いて来た手紙を、開けてみなければならなくなった時にだねえ、奴さん、果してどんな気がするだろうか、それなんだ。」

「ほう？　じゃ、なにか、特に中へ入れて置いたの？」

「なに、白紙にしておくのも、なんだろうかと思ってね、――だって、それじゃ、あんまり馬鹿にしてるってもんじゃないか。それにはね、D――の奴、いつかウィーンで、僕に、ひどいことをやったことがあるんだ。で、その時も、僕は、ニコニコ笑いながらだが、これは、きっといつかお返しするからね、と言ってやった。そこでだ、多分奴も、いったい誰に一ぱい食わされたか、さぞ犯人を知りたく思うだろう、と考えたもんだからね、せめて手掛りくらいは、与えてやらなければ、可哀相だと思ってさ、幸い僕の筆蹟は、よく知っているはずだし、白紙の真中に、ただ二行、

かくもむごき企みも、
ティエストには、まこと応報なれ、アトレには当らずとも。

とだけ書いておいた。なに、クレビヨンの『アトレ』の中の一節さ。」

解　説

エドガー・アラン・ポオは、一八〇九年一月十九日ボストンで生れた。父はアイルランド人、母はイギリス人、貧しい、若い旅役者の夫婦だった。本来ポオ家は、ノルマン系とケルト系との両方の血を享け、アメリカに移住してからも、ボルティモー市で相当の家であったが、この父親ディヴィドが、後の妻である女優と恋愛結婚し、家を飛び出してしまった。この父が、能なしのくせに、癇癪持ちで、飲んだくれで(これが後に遺伝的素質として、ポオに伝わったものだろう)、そのせいか夫婦仲もよくなかったようであり、ポオの生後まもなく、三児を妻に残して失踪、今にその後の運命はわからないという有様だった。しかしこの「悪い」父親の激情的、衝動的な性格と、アイルランド的な幻想性とは、さすがに後年ポオの生涯と文学との上に、一つの宿命的な性格として受けつがれているように見える。

三人の幼児を抱えた母は、その後もつづく旅興行に、健気にも生活と闘っていたが、そんな過労もあってか、まだポオが満三歳にもならぬ一八一一年の暮、これも旅先の南部ヴァージニア州リッチモンドでにわかに病を獲て急死した。はからずも孤児になったポオであるが、幸いなことに、わずかに母の死の数日後、同市の裕福な商人ジョン・アラン夫婦に引き取られることになった。(したがって第二名前のアランは、この養家から与えられたものであった。)こうして彼にとっては、思わぬ運命が新しく開けはじめたわけだが、数年後(一八一五年)には養父母に伴われてイギリスへ渡り、全く予期しなかった古風で厳格な英国風教育を受けることになった。ことにその間二年間ほどを過したロンドン近郊の峻厳、暗鬱な寄宿学校生活の経験は、ほとんどそのまま短篇「ウィリアム・ウィルソン」の前半に利用されているといってよい。一八二〇年には帰米することになり、再びリッチモンドに住んで、相次いで土地の学校二、三にやられた。ポオの鋭い知性と幻想性とが、ようやく穎脱《えいだつ》を示しはじめたのもこの頃からであり、またはじめて恋もした。もっともこの恋愛、相手は遊び友達の母親だったというのだが、しかしこの恋ははからずも彼の筆から千古の絶唱を生み出した。短唱「ヘレンに寄するうた」の一篇、

Helen, thy beauty is to me
Like those Nicean barks of yore,

That gently, o'er a perfumed sea,
The weary, way-worn wanderer bore
To his own native shore.

にはじまる原文は、後年ポオの詩才完成期の諸作品に比してさえ、その自然な流露はかえってより深い情趣を感銘させる稀有の佳品であるが、これがようやく十六そこその少年の作であった。

一八二六年、ヴァージニア大学へ入学。十七歳。だが、在学一年に満たないうちに、賭博、飲酒などの放埒の結果、多額の負債をこしらえ、ために養家の方から退学させられた。裕福といってもタバコ商人の家の、しかも正式の養子でもないポオが、それでいて南部上流階級の子弟たちと同様に振舞わなければいられぬ彼の虚栄心、見栄坊が原因であった。そしてこの頃から養父母との間には越えられない隙が生じはじめ、ついに翌一八二七年には家出した。原因については、残る書簡によると、養父側はポオの愛情の皆無であることを責め、他方ポオは養父の金銭的吝嗇をしきりに訴えているが、真相は結局不明というべきであろう。つまり、飲酒癖とともに、ポオの二大痼疾ともいうべき虚言癖は、すでにこの頃から著しいようであるからだ。その後一度連れ戻されたこともあるが、こうして運命的な放浪生涯がはじまったのであった。

傷つきやすい、そのくせ傲慢な心の持主であった薄倖の青年は、一八二七年七月その姿を生れ故郷のボストンに現わした。エドガー・アラン・ペリなる変名の下に軍隊に入り、一方ある書肆の知己をえて、最初の小詩集を匿名出版した(Tamerlane and Other Poems)。今日でこそ稀覯本中の稀覯本として珍重される十二セント半のこの小冊子も、当時はほとんど売れなかった。しかし軍隊の方は意外に成績よく、二年後(一八二九年)には下士官に昇進、大いに面目を施して除隊、嘘のような話だが、さらに彼は士官学校入学をさえ志望したのだった。

次に彼の姿はポオ家の故地ボルティモーに現われる。ここでの彼は叔母マライア・クレムの家に寄寓したが、そこにはあたかも彼の前途をでも暗示するかのように、母の死後別れていた実兄ウィリアム・ヘンリ・ポオが肺患とアルコール中毒とで死にかかっていた(ついでに、今一人の実妹ロザリーについていえば、彼女はひどい精神薄弱者で、ポオよりもはるかにおくれて慈善養老院で死んでいる)。そしてこのボルティモー滞在中、彼は第二の小詩集を公刊した(Al Aaraaf, Tamerlane, and Minor Poems)。しかし、もっとわが詩人の生涯にとって重要な契機は、この時この叔母の家で、はじめて当時七歳の少女ヴァージニア・クレムを見たことであった。だが、このことはいずれ後で再説する。

一八三〇年六月には、希望通りウェスト・ポイントの陸軍士官学校へ入学した。二十一歳。ここでも彼は成績優秀な生徒だったらしいが、ただ拘束生活に堪え切れない彼は、たちまち厳格な訓練に嫌気がさし、今度は好んで規則を破るような違法行為をやって放校処分を受けた。前途の方向を失った彼は、誰もがするようにニューヨークに出、ここでもまた出版社を見つけて第三詩集(Poems by Edgar A. Poe)を出したが、報いられたものは相変らず黙殺だった。やむなく一八三一年夏には、再びボルティモーの叔母の家に舞い戻り、それから一八三五年までここでの生活がつづくのだが、結局は生活のためであろう、この頃から短篇小説を発表しはじめ、一八三三年も押し詰った十二月、その一篇「ビンの中から出た手記」(MS. Found in a Bottle)が、ボルティモーのある週刊誌の懸賞に一等入選して、ここにようやく文筆生活の希望が湧いたのであった。

今一つ、ポオの念願は文学雑誌の編輯者たることであった。懸賞入選で自信をつけると、まもなく一八三五年秋には、リッチモンドの『南部文芸通信』(Southern Literary Messenger)というのから迎えられて、その副主筆として赴任した。が、この赴任とともに、彼はまことに奇妙な結婚を決行してしまった。すなわち、叔母に乞うて前述の娘ヴァージニアとの結婚許可を得、母娘を伴ってリッチモンドへ行き、翌年五月二十六日にはついに結婚を完了したのである。ところが、この結婚、なにしろ花嫁はまだ十三歳という子供、そこにいろいろと伝記者の間で問題が起こるのである。彼がこの少女妻を深く愛していたこと、それについては問題はない。しかし奇妙なことに、彼の手紙は結婚後もときどきこの妻を「妹」と呼んでいるのである。それに今一つデリケートな問題だが、ポオがその激しい飲酒癖や神経性抑圧から、かなり強度の性的虚弱者、ないしはほとんど性的不能者であった事実は、どうも疑う余地がないようである。そんなところからして、この結婚が果して事実完了されたかどうか、それを疑う論者さえいる始末。そしてまたそうした論者の中には、フロイド流の適用をして、ポオがむしろ真に求めていたのは、叔母その人であった。つまり、彼はこの叔母の中に、絶えず幼くして別れた実母の面影を求めていたのであると。それに今一つは、ポオの孤独がなにか家庭的な温かさを飢え渇くように求めていた、その悲しい心の現われが、こうした変態的な結婚生活の形をとらせたのだとする見解もある。いずれにしても微妙な問題で、確たる証拠はついにないわけだが、とにかくポオの奇怪な性生活の第一歩は、このヴァージニアとの少女結婚にまずはじまることになる。

後でもいうように、数奇、放浪の生活をつづけながらも、彼の文学的生産はこの後の数年間が絶頂にあったといってよい。唯一の長篇「アーサー・ゴードン・ピム物語」(一八三八年)は売れなかったが、ほかにちょっと名前を拾うだけでも、「リジイア」(一八三八年)、「ウィリアム・ウィルソン」「アッシャー家の崩壊」(以上一八三九年)、「メエルシュトレエムに呑まれて」「モルグ街の殺人事件」(以上一八四一年)、「赤死病の仮面」(一八四二年)、「陥穽と振子」「黒猫」「裏切る心臓」「黄金虫」(以上一八四三年)、「鋸山奇譚」(一八四四年)、「盗まれた手紙」(一八四五年)等々、他方詩の方でも「鴉」(一八四五年)はいうまでもないとして、その他「ソネット――沈黙」、「夢の国」、散文詩「沈黙」、「影」等、すべてこの時期の所産であり、そしてこれら珠玉の作品は短篇集"Tales of the Grotesque and Arabesque"(1840), "The Prose Romances of Edgar A. Poe"(1843), "Tales"(1845), 同じく詩集"The Raven and Other Poems"(1845)として、相次いで上梓された。

このようにして彼の文名は確立されたといってよかったが、他方その私生活は、わずかに一八四〇―四二年の間『グレアムズ・マガジン』主筆時代の小春日和的幸福を除いては、依然としてひどくみじめなものであった。地位も不安定なれば、作家として獲られる収入の如きも実に零細なものであった。勢い忿懣は彼を酒に走らせた。

ポオにとって、文字通り酒は「肉体の悪魔」であった。時に悲痛な禁酒の決心にもかかわらず、そのたびに空しく破られて、やがて彼自身の破滅の原因になるのであった。

しかもこの飲酒癖、一つには父親から享けた遺伝的素質でもあっただけに、一層の痛々しさがあった。手紙の中にも、酒癖への言及は少くない。一八四一年ある医師に宛てたものの中では、「今まで一度だって、私はいわゆる飲んだくれだったことはありません。酒浸りなどということは一度だってないのです。……ただ私の弱い感じ易い心は、他の私の友達などにとっては日常茶飯事であるような興奮、緊張にも、どうしても堪え切れなかったのです。つまり、それで時々すっかり乱酔してしまうことがある。でも、そんな時は、いつでもあとで寝込んでしまうような有様です。でも、それももうふっつり禁酒してしまって四年になります。もっとも、その間一度だけ禁酒を破った時期がありますが、それとても神経病的発作をまぎらせるために、林檎酒を飲んだだけです」と。また晩年もっと悪化した頃の別の手紙には、「なるほど時に狂気のように無茶苦茶になって酒をあおるのだが、そのくせ僕はちっとも酒を面白いものと思ってやしない。僕の一生を、評判を、そして理性をまでダメにしてしまったが、なにもそれは快楽を追い求めてではなかった。ただ苦しくて堪らない記憶、やりきれない孤独感、なにかいつも怖ろしい破滅がのしかかってきているような恐怖感、そうしたものから逃れたい一心で、僕はいわば無茶苦茶に飲んだのだ」と。もっともポオの告白には、常にある程度の嘘言癖とお芝居意識とを割引きしなければならないと筆者は信じているが、それにしても少くとも主観的には、彼の悲劇的真実の一端を伝えているものと考えてよかろう。

地位もまた不安定だった。いつもなにかを夢見ている彼と商業的な雑誌所有者との間が、巧くゆくはずがなかった。リッチモンド行きの動機となった『南部文芸通信』との関係も、一年半足らずで破れた。以後この逃竄の詩人の姿はニューヨークに現われる、フィラデルフィヤに現われる。その間ワシントンの役所勤めまでしようと決心、奔走したこともあったが、それもうまくゆかず、再びニューヨークに舞い戻っている。その間二、三の雑誌に関係するが、わずかに上述の『グレアムズ・マガジン』時代を除いては、ほとんど一年とはつづかない幻滅の連続であった。そして相変らずの貧窮、放浪の詩人の上に最後に来た打撃は、少女妻ヴァージニアの病気だった。彼女はまだフィラデルフィヤ時代の一八四二年一月のある日、歌を唄っている最中に突然血管破裂を起して昏倒した。もはや絶望と思われたのが、その時こそ一時回復したが、その後は一種の癖のようになり、なにかというと再発した。一八四七年この病妻の死に至るまで、ポオの神経は幾度か苦悩に狂わんとして、その都度わずかに酒によって憂悶を忘れたらしかった。

筆者は先にポオの夢と書いた。ところで、その彼の夢の一つは、なんとかして自分の雑誌を持つことであった。病妻を抱え、貧困に追われ、しかもこの雑誌の夢を追うて焦慮しつづける彼の姿は痛ましいというよりほかなかった。しかもその夢も一八四五年秋、あるボロ雑誌を引き受けて、ただ一度だけ実現したが、翌年一月には早くも完全に破産、廃刊になった。これが現実であったのだ。そしてまもなく当時はまだニューヨーク市外だったフォーダムの陋屋に移り住んだが、おそらく彼の貧窮はこの時期に絶頂に達していたであろう。いつも必らず引用される一節だが、ある冬の一日、ヴァージニアの病状は重く、しかもポオ自身まで倒れてしまった。暖をとる燃料さえ買えない。そんな時の一日、彼等を訪ねたある友人が書いているのだ。

「藁のベッド、真白なシーツ、そのほかにはベッドに掛けるもの一つなかった。ひどく寒く、病んだヴァージニアは、肺病特有のあの消耗熱でブルブル悪寒に慄えている。夫の外套にくるまって藁のベッドに臥ていたが、見ると、その胸の上には大きな三毛猫がじっとうずくまっている。驚いたことに、猫もちゃんと自分の役目を心得ているらしいのだ。とにかくこの外套と猫と、それだけが病人にとって暖をとる唯一の手段だった」と。

一八四七年一月には、ついに病妻ヴァージニアが死んだ。その後二年間のポオの生活(そしてこれがこの流竄の詩人に地上で許された余生のすべてだったのだ)は、ほとんど語るに堪えない苦惨に充ちた、また一面奇怪きわまる生活であった。ほとんど絶えまない乱酔、泥酔の連続であった。一度は阿片自殺を図ったこともあるが、これは致死量を超えた飲み過ぎで失敗した。そしてその間を点綴《てんてい》するものは、まことに奇怪至極な多角的恋愛生活であった。六歳年長の未亡人、そしてまことに凡庸きわまる女詩人ミセス・ホィットマンというのと相知って、滑稽なほど執拗な求婚をくりかえしはじめたのもこの頃からであった。以後、厳に酒を絶ち、女の財産への権利も一切放棄するという誓約までして、やっと結婚を承諾してもらうという為体《ていたらく》だったが、それも結婚式直前の一日、彼が泥酔して女の家に現われたというので、にわかに破談になってしまった。しかも奇怪なことに、この同じ求婚時代、彼は別の有夫の女(彼の詩に「アニー」の名で出る女)にもやはり烈しい愛の告白をしつづけているばかりか、この求愛の始終をまで、こと細かに、相手もあろうにミセス・ホィットマンに書き送っているというのだから、わからない。次に名高いのは彼の詩の「ステラ」、これも有夫の女詩人だが、まだその外にも二、三はある。

しかしここで注意しておきたいのは、ポオの場合、それは求愛ではあったが、もはや決して愛欲ではなかったことだ。だからこそ一層奇怪だともいえるが、少くともこの頃のポオは、すでに性的不能者か、極度に性的欲求薄弱者であったことは疑いない。したがって、つぎつぎと彼が女性に求めたものは、決して肉体をもった女性ではない。むしろ第一には亡き母親の面影であり、第二にはヴァージニアの死によって生まれた精神的空虚、それを充たすためだけの一種の倒錯的愛情であったという多くのポオ伝記者の解釈は、まず正しいといってよかろう。

だが、この乱酔と貧窮のドン底にあってさえ、雑誌を持ちたい彼の夢だけは、依然として消えなかった。強引でもなんでも、金が出来そうだと聞けば、狂気のように駆け廻ったが、このこともまた彼への指弾(ことに死後の)を厳しくさせる材料の一つであった。さらに加えるに、この頃からは時に意識溷濁《こんだく》して、幻視に悩み、妄想に襲われるということも加わった。ポオ自身も、それを狂兆の一つとしてひどく恐れていたようである。だが、それでいて忘れてならないのは、彼の創作力は、その豊富さこそ失われたが、依然として構成の明晰さ、縹渺《ひょうびょう》たる神韻、そこには驚くべきことに微塵の狂いさえなかった。あの奇書「ユーリカ」が公開朗読されたのが、一八四八年であり、詩においてもあの沈鬱、幽韻の名品「ユラリューム」や、技巧的魔術を思わせる「鐘」や、批評においても、これまた異常な分析力を示している「詩作の理論」(一八四六年)、「詩の原理」(一八五〇年)などの出たのが、いずれもこの最悪の時期であった。

一八四九年の夏であった。例によって彼は金の工面と講演のために、たまたま思い出深いリッチモンドを訪れていた。そして図らずもそこで、彼が少年時代、これも秘かに思慕を献げていたミセス・セアラ・ロイスター・シェルトンなる女性と再会した。女は小金を持った未亡人になっていた。果して早速彼の求愛がはじまったが、女は案外に快く承諾した。いろんな意味で、彼の心は軽く躍った。そして結婚準備に一度ニューヨークに帰るために、彼は九月二十七日、船でボルティモーへ向けて出発した。

その後数日間の彼の消息は永久に不明である。そして十月三日、かねてポオと知合いのボルティモー在住の医師スノッドグラスは、突然、貴殿知人のエドガー・ポオなる人物が市選挙場で倒れているという報知を受けた。行ってみると、意識不明、瀕死の重態であった。例によって泥酔して、泥まみれで、しかも他人の洋服を着せられていた。ちょうど当日が選挙日で、倒れていた場所が選挙場であったために、誰かに飲まされて買収され、サクラ投票に使われたのではないかとの推測もあるが、確たる真偽はわからない。とにかく病院に収容され、しばらくして意識は回復したが、なにか見えない幻影を相手に口走るだけで、明瞭な事情は何一つ聞きとれなかった。つづいて激しい興奮状態が来たが、やがて一応落ちつくと、そんな状態が四日間つづいた。七日の朝の五時頃だった。突然大声を挙げたかと思うと、「神様、この憐れな魂をお助け下さい」(God help my poor soul!)と叫んだ。そしてそれが孤独、薄倖の詩人の地上での最後の言葉であった。

「最近わが法廷に一人の不幸な男が引き出された。この男の前額には、世にも珍らしい不思議な刺青がなされていた――『八方塞がり』と。こうしてこの男は、まるで書物の表題のように、彼の生涯の符号を前額の上に持ちつづけていたのだが、訊問の結果、この奇怪なレッテルがおそらく真実のものであったことが判明した。」ボードレールの「ポオの生涯と作品」書出しの一節である。生前、死後にかけて、ポオほどその人間について毀誉褒貶のさまざまな人間はない。ここは人間ポオを評伝するのが目的でないから、詳細はすべて省略するが、今日伝えられるどの肖像を見ても、クレチュメルのいわゆる精神分裂症質の典型的容貌を示しているし、それにまだ父親からかと思われる宿命的な飲酒癖の遺伝があった。さらに明らかに彼の虚栄と孤高から来る嘘言癖も著しかった。そんなわけで社会人としてのポオが、当時周囲の人々に対して、悪評、攻撃の種子を蒔き散らして廻ったことは想像に難くない。加えるに彼が生きた十九世紀前半のアメリカ社会は、すでにようやく澎湃《ほうはい》たる浪漫主義興隆の兆は著しかったが、しかも半面にはまだまだ根強い清教徒精神の自虐的呪縛は、その不思議な魔力を失っていなかった。こうした精神的風土の中に、ポオのような「早く生まれすぎた」近代的性格、あの「群集の人」といったような作品の書ける近代的性格が生きなければならぬということは、まことにいみじくも言ったが、「八方塞がり」だったことに不思議はない。

結局比類ない彼の文学の魔法的魅惑は、すべて彼の内面世界の妖美な錬金術であった。

彼の文学ほど、いわゆる現実そのままの写実から遠いものはなかった。平凡に対する徹底的な叛逆であった。一切の文学的技法と効果とをあげて、彼はただひたすらに虚構の世界、霊妙幽玄な美の世界の創造に奉仕せしめて悔いなかったのであった。彼にとって、文学は詩と散文との一切を通じて、真実の表現でもなければ、倫理性への奉仕でもない。一にもって美への純粋な興奮にあった。その意味で、彼が詩においても、小説においても、実に大胆、無雑作に長篇を否定し去って、自からもすべて短詩、短篇小説(この場合は唯一の長篇「ゴードン・ピム」を例外として)の創造に終始したことは有名な事実である。

彼は美の錬金術士であった。——ということには誰しも異論ないとしても、しかしここでぜひ一つ忘れてならないことは、彼の美への情熱は、決して神秘的に曖昧、模糊たる憧憬や衝動のそれではない。これはまたおそろしく精確無比、冷徹な理知的計算と設計の上に立ったものであった。本書では割愛したが、有名な彼の詩論に「詩作の理論」というのがある。彼の代表的な詩「鴉」の創作過程を、実にポオ一流の論理的操作をもって分析してみせたものである。それによると、この傑作が、どの一行として神秘的霊感や自然的流露から生れたものでなく、大はその主題の設定から、小はその一語一句に至るまで、実に精緻きわまる技術者的設計によって成ったものだというのだが、むろんそれを文字通り受け取ることは、あるいはうまうまとポオの「神秘化」の逆手に陥ることになるかもしれぬが、しかしこのいわば種明しの真偽はともかくとして、彼の作品のすべてが、ほとんど一篇の例外なく、まことに周密な効果的測定の上に、時計仕掛のように見事に組立てられているという驚くべき理知性には、ただちに気がつくことであろう。しばしばいわれるように、ポオはまた「モルグ街の殺人事件」以下の諸篇によって、近代推理探偵小説の祖ということになっている。しかも彼のその種作品は、今日の多くの同種作品と比較しても、その理知性においてはいまだに一点の清新さも失っていない、まことに驚異的なものであるが、この一事からしても彼の文学全般の強靱な理知性の傍証にはなろう。

美への殉教的情熱と、しかも冷徹無比な計量——という、この一見相背馳するような二つの源泉が、ポオの中においては実に不思議、微妙な調和を保っているところに、結局彼の文学の掛けがえのない独自な存在理由があるのではあるまいか。そのことを裏書きするように、若い日のポール・ヴァレリが、ポオを読んで狂喜せんばかりに記している数行を引く。——「僕はあの数学的阿片の陶酔を絶対に忘れることができぬ。ポオ、ポオ、ポオこそは唯一の完全、無欠な作家だ。彼は一度として過誤を犯さない。」数学的阿片との一語、実にポオの全貌を言いつくして遺憾なしというところであろう。

以下は通常デュパンものと呼ばれる三篇について書く。

一八四一年から四五年の間に、ポオは三篇の推理小説ないしは探偵小説を発表した。三篇を一貫して舞台はパリ。オーギュスト・デュパンと呼ぶ名推理家が活躍するので、普通上記の名称で呼ばれる。

これらの作品によって、ポオを探偵小説の元祖とする見方もある。訳者は、そちらの方の専門研究者でないから、どうでもよいが、ただポオのいわゆる探偵小説の場合は、なにも犯罪そのものを書くのが目的でもなければ、また犯人逮捕で目出度し目出度しだけが意図でもない。それよりも、むしろ精緻な演繹的推理を追求してゆく推理過程と、また他方には人間心理の深い秘密に関する興味とが、彼の興味であったらしい。追放の不幸な天使であったこの作者の、悲しい知的遊戯の玩具であったのかもしれぬ。ある現代の批評家は、「彼自身狂人にならないために、ポオは探偵小説を創案した」とまで評しているが、それもあるいは当っているかもしれぬ。

三篇中、なんといっても圧巻は、「盗まれた手紙」であろう。推理小説も、ここまで来ると、心にくいまでに鮮かである。「モルグ街の殺人事件」は、解決をポオ一流の意表にもとめているが、構成は正面押しの本格的手法である。「マリ・ロジェエの迷宮事件」になると、だいぶ出来栄えは落ちて、ほとんど失敗作に近いが、これには、簡単に紹介しておく方がよいと思える由来因縁がある。というのは、一八四二年、この作品が書かれる数カ月前、本文中にも両三度言及されているが、ニューヨークでメアリ・セシリア・ロジャーズと呼ぶ若い娘が殺されるという実在の事件があった。そしてこの事件がセンセーションを起しながら、まもなく迷宮入りになった。さっそくポオはこの事件をとらえたのである。例によってパリを舞台に、マリ・ロジェエなる名前まで連想的な女性を創造して、殺害の情況、その後の新聞論調など、すべてニューヨークの事件を踏まえながら、平行線的物語をつくり上げたのであった。新聞などが、この物語通りの見当違いな観測をしていたことはそのまま事実だが、犯人の解決についてだけは、なにしろ当時迷宮入りだったのを当て込んだわけ。そこは物語の末尾でうまく責任を逃げていることが、読者にもすぐ気づかれるはずである。作の成功失敗はとにかく、いかにもポオらしい才気と俗気の組合せである。

個々の作品についての解説は書かないが、ただそれぞれの最初の発表年代とその掲載誌名だけを取りあえず記しておく。

「黒猫」　一八四三年八月、『U・S・サタデー・ポスト』

「ウィリアム・ウィルソン」　一八三九年十月、『ゼントルマンズ・マガジン』

「裏切る心臓」　一八四三年一月、『パイオニア』

「天邪鬼」　一八四五年七月、『グレアムズ・マガジン』
「モルグ街の殺人事件」　一八四一年四月、『グレアムズ・マガジン』
「マリ・ロジェエの迷宮事件」　一八四二年十一月—一八四三年二月、『スノーデンズ・レディズ・コンパニオン』
「盗まれた手紙」　一八四五年、『ギフト』

一九七八年十一月

訳　者

黒猫《くろねこ》・モルグ街《がい》の殺人事件《さつじんじけん》 他五篇　ポ　オ作

1978年12月18日　第1刷発行
2009年4月8日　第39刷改版発行
2021年10月15日　第45刷発行

訳　者　中野好夫《なかのよしお》

発行者　坂本政謙

発行所　株式会社 岩波書店
〒101-8002 東京都千代田区一ツ橋 2-5-5

案内 03-5210-4000　営業部 03-5210-4111
文庫編集部 03-5210-4051
https://www.iwanami.co.jp/

印刷・三陽社　カバー・精興社　製本・中永製本

ISBN 4-00-323061-2　　Printed in Japan

読書子に寄す

——岩波文庫発刊に際して——

岩波茂雄

真理は万人によって求められることを自ら欲し、芸術は万人によって愛されることを自ら望む。かつては民を愚昧ならしめるために学芸が最も狭き堂宇に閉鎖されたことがあった。今や知識と美とを特権階級の独占より奪い返すことはつねに進取的なる民衆の切実なる要求である。岩波文庫はこの要求に応じそれに励まされて生まれた。それは生命ある不朽の書を少数者の書斎と研究室とより解放して街頭にくまなく立たしめ民衆に伍せしめるであろう。近時大量生産予約出版の流行を見る。その広告宣伝の狂態はしばらくおくも、後代にのこすと誇称する全集がその編集に万全の用意をなしたるか。千古の典籍の翻訳企図に敬虔の態度を欠かざりしか。さらに分売を許さず読者を繋縛して数十冊を強うるがごとき、はたしてその揚言する学芸解放のゆえんなりや。吾人は天下の名士の声に和してこれを推挙するに躊躇するものである。このときにあたって、岩波書店は自己の責務のいよいよ重大なるを思い、従来の方針の徹底を期するため、すでに十数年以前より志して来た計画を慎重審議この際断然実行することにした。吾人は範をかのレクラム文庫にとり、古今東西にわたって文芸・哲学・社会科学・自然科学等種類のいかんを問わず、いやしくも万人の必読すべき真に古典的価値ある書をきわめて簡易なる形式において逐次刊行し、あらゆる人間に須要なる生活向上の資料、生活批判の原理を提供せんと欲する。この文庫は予約出版の方法を排したるがゆえに、読者は自己の欲する時に自己の欲する書物を各個に自由に選択することができる。携帯に便にして価格の低きを最主とするがゆえに、外観を顧みざるも内容に至っては厳選最も力を尽くし、従来の岩波出版物の特色をますます発揮せしめようとする。この計画たるや世間の一時の投機的なるものと異なり、永遠の事業として吾人は微力を傾倒し、あらゆる犠牲を忍んで今後永久に継続発展せしめ、もって文庫の使命を遺憾なく果たさしめることを期する。芸術を愛し知識を求むる士の自ら進んでこの挙に参加し、希望と忠言とを寄せられることは吾人の熱望するところである。その性質上経済的には最も困難多きこの事業にあえて当たらんとする吾人の志を諒として、その達成のため世の読書子とのうるわしき共同を期待する。

昭和二年七月

《イギリス文学》〔赤〕

- ユートピア　トマス・モア　平井正穂訳
- 完訳カンタベリー物語　全三冊　チョーサー　桝井迪夫訳
- ヴェニスの商人　シェイクスピア　中野好夫訳
- 十二夜　シェイクスピア　小津次郎訳
- ハムレット　シェイクスピア　野島秀勝訳
- オセロウ　シェイクスピア　菅泰男訳
- リア王　シェイクスピア　野島秀勝訳
- マクベス　シェイクスピア　木下順二訳
- ソネット集　シェイクスピア　高松雄一訳
- ロミオとジューリエット　シェイクスピア　平井正穂訳
- リチャード三世　シェイクスピア　木下順二訳
- 対訳シェイクスピア詩集　—イギリス詩人選(1)　柴田稔彦編
- から騒ぎ　シェイクスピア　喜志哲雄訳
- 言論・出版の自由　他一篇　—アレオパジティカ　ミルトン　原田純訳
- 失楽園　全二冊　ミルトン　平井正穂訳
- ロビンソン・クルーソー　全二冊　デフォー　平井正穂訳

- 奴婢訓　他一篇　スウィフト　深町弘三訳
- ガリヴァー旅行記　スウィフト　平井正穂訳
- ジョウゼフ・アンドルーズ　全二冊　フィールディング　朱牟田夏雄訳
- トリストラム・シャンディ　全三冊　ロレンス・スターン　朱牟田夏雄訳
- ウェイクフィールドの牧師　—むだばなし　ゴールドスミス　小野寺健訳
- 幸福の探求　—アビシニアの王子ラセラスの物語　サミュエル・ジョンソン　朱牟田夏雄訳
- マンフレッド　バイロン　小川和夫訳
- 対訳ブレイク詩集　—イギリス詩人選(4)　松島正一編
- 対訳ワーズワス詩集　—イギリス詩人選(3)　山内久明編
- 湖の麗人　スコット　入江直祐訳
- キプリング短篇集　橋本槙矩編訳
- 対訳コウルリッジ詩集　—イギリス詩人選(7)　上島建吉編
- 高慢と偏見　全二冊　ジェーン・オースティン　富田彬訳
- ジェイン・オースティンの手紙　新井潤美編訳
- 対訳テニスン詩集　—イギリス詩人選(5)　西前美巳編
- 虚栄の市　全四冊　サッカリー　中島賢二訳
- 床屋コックスの日記・馬丁粋語録　サッカレ　平井呈一訳

- デイヴィッド・コパフィールド　全五冊　ディケンズ　石塚裕子訳
- 炉辺のこほろぎ　ディケンズ　本多顕彰訳
- ボズのスケッチ　短篇小説篇　全二冊　ディケンズ　藤岡啓介訳
- アメリカ紀行　全二冊　ディケンズ　伊藤弘之・下笠徳次・隈元貞広訳
- イタリアのおもかげ　ディケンズ　伊藤弘之・下笠徳次・隈元貞広訳
- 大いなる遺産　全二冊　ディケンズ　石塚裕子訳
- 荒涼館　全四冊　ディケンズ　佐々木徹訳
- 鎖を解かれたプロメテウス　シェリー　石川重俊訳
- ジェイン・エア　全二冊　シャーロット・ブロンテ　河島弘美訳
- 嵐が丘　全二冊　エミリー・ブロンテ　河島弘美訳
- アルプス登攀記　全二冊　ウィンパー　浦松佐美太郎訳
- アンデス登攀記　全二冊　ウィンパー　大貫良夫訳
- ハーディテス　全二冊　井上宗次・石田英二訳
- 緑の木蔭　和蘭派田園画　トマス・ハーディ　阿部知二訳
- 緑の館　—熱帯林のロマンス　ハドソン　柏倉俊三訳
- ジーキル博士とハイド氏　スティーヴンスン　海保眞夫訳
- 新アラビヤ夜話　スティーヴンスン　佐藤緑葉訳

南海千一夜物語　スティーヴンスン　中村徳三郎訳
若い人々のために 他十一篇　スティーヴンスン　岩田良吉訳
マーカイム・壜の小鬼 他五篇　スティーヴンソン　高松雄一・高松禎子訳
怪談 —不思議なことの物語と研究　ラフカディオ・ハーン　平井呈一訳
心 —日本の内面生活の暗示と影響　ラフカディオ・ハーン　平井呈一訳
ドリアン・グレイの肖像　オスカー・ワイルド　富士川義之訳
サロメ　ワイルド　福田恆存訳
嘘から出た誠　ワイルド　岸本一郎訳
童話集 幸福な王子 他八篇　オスカー・ワイルド　富士川義之訳
人と超人　バーナード・ショー　市川又彦訳
分らぬもんですよ　バァナード・ショウ　市川又彦訳
ヘンリ・ライクロフトの私記　ギッシング　平井正穂訳
南イタリア周遊記　ギッシング　小池滋訳
闇の奥　コンラッド　中野好夫訳
密偵　コンラッド　土岐恒二訳
コンラッド短篇集　中島賢二編訳
対訳 イエイツ詩集　高松雄一編

月と六ペンス　モーム　行方昭夫訳
人間の絆 全三冊　モーム　行方昭夫訳
サミング・アップ　モーム　行方昭夫訳
モーム短篇選 全二冊　行方昭夫編訳
アシェンデン —英国情報部員のファイル　モーム　中島賢二・岡田久雄訳
お菓子とビール　モーム　行方昭夫訳
ダブリンの市民　ジョイス　結城英雄訳
荒地　T・S・エリオット　岩崎宗治訳
悪口学校　シェリダン　菅泰男訳
オーウェル評論集　小野寺健編訳
パリ・ロンドン放浪記　ジョージ・オーウェル　小野寺健訳
カタロニア讃歌　ジョージ・オーウェル　都築忠七訳
動物農場 —おとぎばなし　ジョージ・オーウェル　川端康雄訳
対訳 キーツ詩集 —イギリス詩人選(10)　宮崎雄行編
キーツ詩集　中村健二訳
阿片常用者の告白　ド・クインシー　野島秀勝訳
20世紀イギリス短篇選 全二冊　小野寺健編訳

オルノーコ 美しい浮気女　アフラ・ベイン　土井治訳
イギリス名詩選　平井正穂編
タイム・マシン 他九篇　H・G・ウェルズ　橋本槇矩訳
解放された世界　H・G・ウェルズ　浜野輝訳
大転落　イヴリン・ウオー　富山太佳夫訳
回想のブライズヘッド 全二冊　イーヴリン・ウォー　小野寺健訳
愛されたもの　イーヴリン・ウォー　中村健二・出淵博訳
フォースター評論集　小野寺健編訳
白衣の女 全三冊　ウィルキー・コリンズ　中島賢二訳
対訳 ブラウニング詩集 —イギリス詩人選(6)　富士川義之編
灯台へ　ヴァージニア・ウルフ　御輿哲也訳
船出 全二冊　ヴァージニア・ウルフ　川西進訳
アーネスト・ダウスン作品集　南條竹則編訳
ヘリック詩鈔　森亮訳
フランク・オコナー短篇集　阿部公彦訳
たいした問題じゃないが —イギリス・コラム傑作選　行方昭夫編訳
英国ルネサンス恋愛ソネット集　岩崎宗治編訳

文学とは何か
—現代批評理論への招待 全二冊
テリー・イーグルトン
大橋洋一訳

D・G・ロセッティ作品集
南條竹則
松村伸一編訳

真夜中の子供たち 全二冊
サルマン・ラシュディ
寺門泰彦訳

《アメリカ文学》〔赤〕

ギリシア・ローマ神話 付 インド・北欧神話　ブルフィンチ 野上弥生子訳
中世騎士物語　ブルフィンチ 野上弥生子訳
フランクリン自伝　松本慎一 西川正身訳
フランクリンの手紙　蕗沢忠枝編訳
スケッチ・ブック 全二冊　アーヴィング 齊藤昇訳
アルハンブラ物語 全二冊　アーヴィング 平沼孝之訳
ウォルター・スコット邸訪問記　アーヴィング 齊藤昇訳
エマソン論文集 全二冊　酒本雅之訳
完訳 緋文字　ホーソーン 八木敏雄訳
哀詩 エヴァンジェリン　ロングフェロー 斎藤悦子訳
黒猫・モルグ街の殺人事件 他五篇　ポオ 中野好夫訳
対訳 ポー詩集 ―アメリカ詩人選(1)　加島祥造編
ユリイカ　ポオ 八木敏雄訳
ポオ評論集　八木敏雄編訳
森の生活 (ウォールデン) 全二冊　ソロー 飯田実訳
市民の反抗 他五篇　H・D・ソロー 飯田実訳

白鯨 全三冊　メルヴィル 八木敏雄訳
ビリー・バッド　メルヴィル 坂下昇訳
ホイットマン自選日記 全二冊　杉木喬訳
対訳 ホイットマン詩集 ―アメリカ詩人選(2)　木島始編
対訳 ディキンソン詩集 ―アメリカ詩人選(3)　亀井俊介編
不思議な少年　マーク・トウェイン 中野好夫訳
王子と乞食　マーク・トウェーン 村岡花子訳
人間とは何か　マーク・トウェイン 中野好夫訳
ハックルベリー・フィンの冒険 全二冊　マーク・トウェイン 西田実訳
いのちの半ばに　ビアス 西川正身訳
新編 悪魔の辞典　ビアス 西川正身編訳
ビアス短篇集　大津栄一郎編訳
ヘンリー・ジェイムズ短篇集　大津栄一郎編訳
あしながおじさん　ジーン・ウェブスター 遠藤寿子訳
荒野の呼び声　ジャック・ロンドン 海保眞夫訳
どん底の人びと ―ロンドン1902　ジャック・ロンドン 行方昭夫訳
ノリス マクティーグ 死の谷 全二冊　石田英二 井上宗次訳

熊 他三篇　フォークナー 加島祥造訳
響きと怒り 全二冊　フォークナー 平石貴樹 新納卓也訳
アブサロム、アブサロム! 全二冊　フォークナー 藤平育子訳
八月の光 全二冊　フォークナー 諏訪部浩一訳
オー・ヘンリー傑作選　大津栄一郎訳
黒人のたましい　W・E・B・デュボイス 木島始 鮫島重俊 黄寅秀訳
フィッツジェラルド短篇集　佐伯泰樹編訳
アメリカ名詩選　亀井俊介 川本皓嗣編
魔法の樽 他十二篇　マラマッド 阿部公彦訳
青白い炎　ナボコフ 富士川義之訳
風と共に去りぬ 全六冊　マーガレット・ミッチェル 荒このみ訳
対訳 フロスト詩集 ―アメリカ詩人選(4)　川本皓嗣編
とんがりモミの木の郷 他五篇　セアラ・オーン・ジュエット 河島弘美訳

《ドイツ文学》〔赤〕

ニーベルンゲンの歌 全二冊　相良守峯訳
若きウェルテルの悩み　ゲーテ　竹山道雄訳
ヴィルヘルム・マイスターの修業時代 全三冊　ゲーテ　山崎章甫訳
イタリア紀行 全三冊　ゲーテ　相良守峯訳
ファウスト 全二冊　ゲーテ　相良守峯訳
ゲーテとの対話 全三冊　エッカーマン　山下肇訳
スペインの太子 ドン・カルロス　シルレル　佐藤通次訳
改訳 オルレアンの少女　シルレル　佐藤通次訳
ヒュペーリオン —希臘の世捨人　ヘルデルリーン　渡辺格司訳
青い花　ノヴァーリス　青山隆夫訳
夜の讃歌・サイスの弟子たち 他一篇　ノヴァーリス　今泉文子訳
完訳 グリム童話集 全五冊　金田鬼一訳
黄金の壺　ホフマン　神品芳夫訳
ホフマン短篇集　池内紀編訳
O侯爵夫人 他六篇　クライスト　相良守峯訳
影をなくした男　シャミッソー　池内紀訳

流刑の神々・精霊物語　ハイネ　小沢俊夫訳
冬物語 —ドイツ　ハイネ　井汲越次訳
芸術と革命 他四篇　ワーグナー　北村義男訳
ブリギッタ・森の泉 他一篇　シュティフター　宇多五郎・高安国世訳
みずうみ 他四篇　シュトルム　関泰祐訳
村のロメオとユリア　ケラー　草間平作訳
沈鐘　ハウプトマン　阿部六郎訳
地霊・パンドラの箱 ルル二部作　F.ヴェデキント　岩淵達治訳
春のめざめ　F.ヴェデキント　酒寄進一訳
ゲオルゲ詩集　手塚富雄訳
リルケ詩集　高安国世訳
花・死人に口なし 他七篇　シュニッツラー　番匠谷英一・山本有三訳
ドゥイノの悲歌　リルケ　手塚富雄訳
ブッデンブローク家の人びと 全三冊　トーマス・マン　望月市恵訳
トオマス・マン短篇集　実吉捷郎訳
魔の山 全二冊　トーマス・マン　関泰祐・望月市恵訳
トニオ・クレエゲル　トオマス・マン　実吉捷郎訳

ヴェニスに死す　トオマス・マン　実吉捷郎訳
車輪の下　ヘルマン・ヘッセ　実吉捷郎訳
青春はうるわし 他三篇　ヘッセ　関泰祐訳
漂泊の魂 クヌルプ　ヘルマン・ヘッセ　相良守峯訳
デミアン　ヘルマン・ヘッセ　実吉捷郎訳
シッダルタ　ヘッセ　手塚富雄訳
ルーマニア日記　カロッサ　高橋健二訳
若き日の変転　カロッサ　斎藤栄治訳
幼年時代　カロッサ　斎藤栄治訳
指導と信従　カロッサ　国松孝二訳
ジョゼフ・フーシェ —ある政治的人間の肖像　シュテファン・ツワイク　高橋禎二・秋山英夫訳
変身・断食芸人　カフカ　山下肇・山下萬里訳
審判　カフカ　辻瑆訳
カフカ短篇集　池内紀編訳
カフカ寓話集　池内紀編訳
三文オペラ　ブレヒト　岩淵達治訳
肝っ玉おっ母とその子どもたち　ブレヒト　岩淵達治訳

ドイツ炉辺ばなし集 —カレンダーゲシヒテン　ヘーベル　木下康光編訳
悪童物語　ルウドキヒ・トオマ　実吉捷郎訳
ウィーン世紀末文学選　池内紀編訳
ティル・オイレンシュピーゲルの愉快ないたずら　阿部謹也訳
大理石像・デュランデ城悲歌　アイヒェンドルフ　関泰祐訳
チャンドス卿の手紙 他十篇　ホフマンスタール　檜山哲彦訳
ホフマンスタール詩集　川村二郎訳
インド紀行 全二冊　ボンゼルス　実吉捷郎訳
ドイツ名詩選　生野幸吉・檜山哲彦編
蝶の生活　シュナック　岡田朝雄訳
聖なる酔っぱらいの伝説 他四篇　ヨーゼフ・ロート　池内紀訳
ラデツキー行進曲 全二冊　ヨーゼフ・ロート　平田達治訳
暴力批判論 他十篇 —ベンヤミンの仕事1　ベンヤミン　野村修訳
ボードレール 他五篇 —ベンヤミンの仕事2　ベンヤミン　野村修編訳
パサージュ論 全五冊　ヴァルター・ベンヤミン　今村仁司・三島憲一・大貫敦子・高橋順一・塚原史・細見和之・村岡晋一・山本尤・横張誠・與謝野文子・吉村和明訳
ジャクリーヌと日本人　ヤーコプ　相良守峯訳
人生処方詩集　エーリヒ・ケストナー　小松太郎訳

第七の十字架 全二冊　アンナ・ゼーガース　山下肇・新村浩訳

《フランス文学》〔赤〕

ロランの歌　有永弘人訳
ラブレー第一之書 ガルガンチュワ物語　渡辺一夫訳
ラブレー第二之書 パンタグリュエル物語　渡辺一夫訳
ラブレー第三之書 パンタグリュエル物語　渡辺一夫訳
ラブレー第四之書 パンタグリュエル物語　渡辺一夫訳
ラブレー第五之書 パンタグリュエル物語　渡辺一夫訳
ピエール・パトラン先生　渡辺一夫訳
日月両世界旅行記　シラノ・ド・ベルジュラック　赤木昭三訳
ロンサール詩集　ロンサール　井上究一郎訳
エセー 全六冊　モンテーニュ　原二郎訳
ラ・ロシュフコー箴言集　二宮フサ訳
ブリタニキュス ベレニス　ラシーヌ　渡辺守章訳
ドン・ジュアン —石像の宴　モリエール　鈴木力衛訳
完訳 ペロー童話集　新倉朗子訳
カンディード 他五篇　ヴォルテール　植田祐次訳

哲学書簡　ヴォルテール　林達夫訳
ルイ十四世の世紀 全四冊　ヴォルテール　丸山熊雄訳
フィガロの結婚　ボオマルシェ　辰野隆訳
美味礼讃 全二冊　ブリア-サヴァラン　関根秀雄・戸部松実訳
アドルフ　コンスタン　大塚幸男訳
近代人の自由と古代人の自由・征服の精神と簒奪 他一篇　コンスタン　堤林剣・堤林恵訳
恋愛論 全二冊　スタンダール　杉本圭子訳
赤と黒 全二冊　スタンダール　桑原武夫・生島遼一訳
ゴプセック・毬打つ猫の店　バルザック　芳川泰久訳
艶笑滑稽譚 全三冊　バルザック　石井晴一訳
レ・ミゼラブル 全四冊　ユーゴー　豊島与志雄訳
死刑囚最後の日　ユーゴー　豊島与志雄訳
ライン河幻想紀行　ユーゴー　榊原晃三編訳
ノートル＝ダム・ド・パリ 全二冊　ユーゴー　辻昶・松下和則訳
モンテ・クリスト伯 全七冊　アレクサンドル・デュマ　山内義雄訳
三銃士 全二冊　デュマ　生島遼一訳
エトルリヤの壺 他五篇　メリメ　杉捷夫訳

岩波文庫の最新刊

柳井 滋・室伏信助・大朝雄二・鈴木日出男・藤井貞和・今西祐一郎校注

源氏物語（九）

蜻蛉―夢浮橋／索引

浮舟入水かとの報せに悲しむ薫と匂宮。だが浮舟は横川僧都の一行に救われていた――。全五十四帖完結、年立や作中和歌一覧、人物索引も収録。（全九冊）

〔黄一五-一八〕 **定価一五一八円**

カッシーラー著／熊野純彦訳

国家と神話（下）

国家と神話との結びつきを論じたカッシーラーの遺著。後半では、ヘーゲルの国家理論や技術に基づく国家の神話化を批判しつつ、理性への信頼を訴える。（全二冊）

〔青六七三-七〕 **定価一二四三円**

大塚久雄著／齋藤英里編

資本主義と市民社会 他十四篇

西欧における資本主義の発生過程とその精神的基盤の解明をめざした経済史家・大塚久雄。戦後日本の社会科学に大きな影響を与えた論考をテーマ別に精選。

〔白一五二-二〕 **定価一一七七円**

恩田侑布子編

久保田万太郎俳句集

万太郎の俳句は、詠嘆の美しさ、表現の自在さ、繊細さにおいて、近代俳句の白眉。全句から珠玉の九百二句を精選。「季語索引」を付す。

〔緑六五-四〕 **定価八一四円**

……今月の重版再開……

今野一雄訳

ラ・フォンテーヌ **寓話（上）**

〔赤五一四-一〕 **定価一〇一二円**

今野一雄訳

ラ・フォンテーヌ **寓話（下）**

〔赤五一四-二〕 **定価一一二二円**